A^{t}V

CHRISTOPH HEIN wurde 1944 in Heinzendorf im heutigen Polen geboren: Er wuchs in einer sächsischen Kleinstadt auf. Bis 1961 besuchte er ein Gymnasium in Westberlin, lebte aber seit Errichtung der Mauer wieder in Ostberlin und war dort Montagearbeiter, Kellner, Buchhändler und Regieassistent Benno Bessons an der Volksbühne. Von 1967 bis 1971 studierte er Philosophie in Leipzig und Berlin, danach war er Dramaturg, später Autor an der Volksbühne. Christoph Hein schrieb Erzählungen und Romane u. a. „Einladung zum Lever Bourgeois" (Prosa, 1980), „Der fremde Freund" (auch erschienen unter dem Titel „Drachenblut", Novelle, 1982), „Horns Ende" (Roman, 1985), „Der Tangospieler" (Erzählung, 1989), „Das Napoleon-Spiel" (Ein Roman, 1993), „Exekution eines Kalbes und andere Erzählungen" (1994), zahlreiche Stücke, zuletzt erschien „Randow. Eine Komödie" (1994), und Essays. Er lebt in Berlin.

„Hein hat die Köder einer Krimigeschichte ausgelegt. Ein gewisser Bernhard Bagnall ist ermordet worden. In seinem an den Advokaten gerichteten Schreiben steht der Täter, selbst ein forensisch erfahrener Jurist, durchaus zu seiner Tat, versucht aber klarzumachen, daß dieser Mord weder strafrechtlich noch moralisch als Mord zu werten ist. Es handelt sich um eine im Sinn des Täters völlig logische Operation, vergleichbar einem napoleonischen Feldzug im Kleinformat. Wenn niemand dem strategischen Spieler Napoleon übelnimmt, daß er Hunderttausende seiner Soldaten sinnlos in den Tod geschickt hat, mit welchem Recht will man ihm, argumentiert der Spieler, aus dem Tod eines einzigen Menschen einen Strick drehen?

Kurz gesagt, in Heins ‚Napoleonspiel' erwartet den Leser neben dem Kitzel der Krimigeschichte ein Feuerwerk belebender Geistesbosheiten, das den trüben Alltag eine ganze Weile überstrahlen kann."

Lothar Baier

Christoph Hein

Das
Napoleon-Spiel

Ein Roman

Aufbau Taschenbuch Verlag

ISBN 3-7466-1125-3

1. Auflage 1995
Aufbau Taschenbuch Verlag GmbH, Berlin
© Aufbau-Verlag GmbH, Berlin und Weimar 1993
Umschlaggestaltung Bert Hülpüsch
Druck Elsnerdruck, Berlin
Printed in Germany

Sie sind im Groll gegangen, Verehrtester, obgleich ich mich aufrichtig bemühte, Ihnen meine Beweggründe zu offenbaren. Es gibt offensichtlich Schwierigkeiten, mich verständlich zu machen. Meine Erklärungen zu dem nun zu untersuchenden und juristisch zu würdigenden Geschehen wollen oder können Sie nicht nachvollziehen. Sie baten mich zum Abschied um ein paar Zeilen, die Ihnen möglicherweise helfen könnten, Ihrer Pflicht zu genügen und die Strategie einer Verteidigung zu entwickeln.

Lieber Herr Fiarthes, Sie wissen, ich schätze Sie und habe Ihnen deshalb meine Verteidigung übertragen, aber ich fürchte, auch Sie werden mich nicht verstehen, und mein Dossier – oder sollte ich das Papier zutreffender einen Kassiber nennen –, wie rückhaltlos und ausführlich es auch ausfallen wird, es wird Ihnen bei Ihrer Aufgabe kaum helfen können. Unsere Gespräche haben mir nur allzu deutlich gemacht, daß ich mit der Wahrheit nichts gewinnen kann, weder Verstehen, noch Verständnis, noch eine Verteidigung. Aber unsere menschliche Sozietät verlangt nicht nur meine Verurteilung, sondern auch eine zuvor stattzuhabende Verteidigung, und ich will Ihnen, lieber Herr Kollege, dabei behilflich sein, diese Pflicht vor der Gesellschaft und dem Gesetz zu erfüllen. Meine Mühe wird vergeblich sein, ich weiß, aber das Recht begehrt auch allein das aufrichtige Bemühen, nicht den wirklichen

Erfolg. Keinem ist mehr abzuverlangen, als seine Kräfte erlauben. Die Gesetzgeber sind seit der Antike durch Erfahrung belehrt und haben sich folglich vor unerfüllbaren Forderungen gehütet.

Unsere Gesetzbücher, vom Römischen bis zum Bürgerlichen, sind durchweg nach dem einfachen, leicht verständlichen Grundsatz des durchführbaren Rechts verfaßt. Vor Studenten, die ich vor Jahren als Gastprofessor im Strafrecht unterrichtete, faßte ich diesen Grundsatz etwas drastisch mit den Worten: „Anrufen, Warnschuß in die Luft, gezielter Schuß". Diese Formulierung ist grob, aber zutreffend. Die warnende Ouvertüre ist ein Ergebnis der menschlichen Zivilisation und die Steigerung der anzuwendenden Mittel eine Notwendigkeit jeder Existenz, der eines Individuums wie der eines Staates. Was der Gesetzgeber nach diesem Grundsatz nicht verlangt, eben weil es eine nicht erfüllbare Forderung wäre, ist die Bedingung, daß der Warnschuß vom Delinquenten gehört werden muß, bevor die letzte und gezielte Maßnahme ergriffen wird. Ein Beweis der Wahrnehmung ist nicht mit absoluter Sicherheit zu führen.

Aber ich will nicht dozieren, zumal Sie, Verehrtester, meine Interpretation gewiß zurückweisen werden und meine derzeitige Behausung einen theoretischen Disput allzu stark inkommodiert. Ich will mich aller rechtlichen Ausdeutungen enthalten, um Ihnen nicht lästig zu fallen. Auch in der Anatomie werden die Ärzte über die Philosopheme des Aufschneidens uneins sein. Die Menschen sind verschieden. Unstrittig ist das Messer, nicht der mit ihm ausgeführte Schnitt. Und ebenso unstrittig ist das Gesetz, aber nicht der nach ihm erfolgte Richtspruch.

Ich bin scheinbar abgeschweift, aber ich muß Ihnen

erklären, warum ich diese Zeilen zu Papier bringe. Wir beide, Sie, Herr Fiarthes, wie auch ich, bemühen uns, dem Gesetz zu genügen und gleichzeitig unseren Mandanten, was uns einen beschränkten und allzu einfachen Blick auf die Welt verwehrt, dem die Herren Staatsanwälte sich verpflichtet fühlen in ihrer unausrottbaren Hoffnung auf die einfache Wahrheit. Ich werde Ihnen meine Wahrheit sagen, machen Sie von ihr nach Belieben und Erfordernis Gebrauch. Falls Sie meine Zeilen kopfschüttelnd verwerfen, weil sie für die Vorbereitung und Führung Ihrer Verteidigung eher hinderlich als nützlich sind, erteile ich Ihnen schon jetzt mein Plazet. Ich habe Sie gewählt, da ich Ihnen vertraue, und ich werde mich in allem auf Sie verlassen. Ich habe augenblicklich ohnehin reichlich Zeit, so daß mich eine eventuell überflüssige und nutzlose Anstrengung nicht überfordert. Im Gegenteil, sie beschäftigt und unterhält mich. Sie vergnügt mich.

Ich hatte Ihnen vorgeschlagen, für mich Strafunfähigkeit wegen fehlender oder unzureichender Schulderkenntnis zu beantragen. Sie wiesen diesen Vorschlag belustigt, aber auch entsetzt über meinen offenkundigen Zynismus zurück. Sie haben natürlich recht. Sie bestätigten mir, was ich ohnehin wußte: mit der Wahrheit ist dieser Prozeß nicht zu gewinnen. Er ist allerdings nicht einmal mit ihr zu verlieren, denn sie kann vom Gericht wie von der Gesellschaft nicht akzeptiert werden. Ich beschloß daher, mich völlig aus meiner Verteidigung zurückzuziehen und alles Ihnen, Herr Kollege, zu überlassen. Ich sagte mir, daß – da nun einmal die Wahrheit nicht allgemein zu akzeptieren ist – nur jenes, was mein Verteidiger von mir und dem Geschehenen begreift und vor Gericht verwendet, auch vom Gericht und von der Öffentlichkeit verstanden werden kann. Mit diesen Zeilen gebe ich Ihnen, verehrter Herr Fiarthes, einen möglichst genauen Bericht über die Tat und den Tathergang, über den Fall Wörle. Verwenden Sie davon, was Ihnen verständlich, brauchbar oder nur nutzbar zu sein scheint. Es ist ohnehin gleichgültig. Das Strafmaß und die öffentliche Meinung werden von alledem unberührt bleiben. Entgegen einer weit verbreiteten Ansicht ist in Strafrechtsprozessen das Urteil von der Anklage und der Verteidigung kaum zu beeinflussen. Die möglichen Bewegungen innerhalb des vom Gesetz abgesteckten und damit vorgeschriebenen Rahmens bestimmt das Gericht. Die Berufsehre und sein Selbstbewußtsein werden einen Richter immer davon abhalten, sich vom Vertreter der Anklage oder der Verteidigung überreden oder gar belehren zu lassen. Vielmehr wird er auf seine Menschenkenntnis setzen und sich in seinem Urteil allein auf seine eigenen Erfahrungen und Wahrnehmungen verlassen. (Ach, die Menschenkenntnis der Richter! Es gab – seit die Welt des Gesetzes besteht – keinen fürchterlicheren Justizirrtum.)

Die einzige Person, die mittelbar und unmittelbar bei der Bestimmung des Strafmaßes einen erkennbaren Anteil besitzt, ist der Angeklagte. In meiner langjährigen Praxis habe ich immer wieder bemerken müssen, daß das Verhalten des Angeklagten von ausschlaggebender Bedeutung ist. Sein Verhalten vor Gericht, wohlgemerkt, nicht bei der Tat. Der Eindruck, den er vermittelt oder doch zu vermitteln versteht, entscheidet wesentlich, ich möchte sogar behaupten ausschließlich, ob der Richter die höchstmögliche oder eine geringere Strafe verhängt. Ein im Gerichtssaal unverschämt und provozierend auftretender Ladendieb hat tatsächlich weniger Chancen als ein charmanter und zuvorkommend auftretender Herr, der seine Tante mit einem Beil erschlug. Im Grunde seines Herzens würde jeder Richter, wenn das Gesetz es nur zuließe, den liebenswürdigen Mörder auf freien Fuß setzen und den Ladendieb im Gefängnis verschimmeln lassen. Auch der Gerichtssaal ist nur eine Bühne, und wir spielen die zugeteilten Rollen. Und trotz des äußeren Scheins und der beeindruckenden Eloquenz, die Hauptrolle hat nicht der Ankläger und nicht der Verteidiger. Nicht einmal der Richter, der ein Opfer seiner Menschenkenntnis ist. Der Angeklagte ist der Hauptdarsteller. Sein Spiel entscheidet, wie das Stück endet. Geben Sie mir einen begabten und lernfähigen Schauspieler, den ich eine Stunde präparieren kann, und das Gericht wird – im vorgegebenen Rahmen des Gesetzes – jedes von mir gewünschte Urteil fällen.

Instinktiv spürt fast jeder Angeklagte, daß ihm die Hauptrolle zugewiesen ist, und beginnt unwillkürlich zu spielen. Das ist natürlich lächerlich, das sind Dummheiten. Unter tausend Angeklagten sind neunhundertneunundneunzig Schmierenkomödianten, die ihre Lage durch die Art ihres Auftretens verschlimmern. Und der einzige Begabte unter ihnen hat nur geringe Chancen auf einen wirklichen Vorteil, da er die Bühne und seine Mitspieler nicht ausreichend kennt. Ihm fehlt der Regisseur. Ich fehle ihm. Ich, der ihm sagt, was und wie gespielt werden muß.

Die Schmierenkomödianten unter den Angeklagten bevorzugen üblicherweise die Tragödie und greifen zu Mitteln, von denen sie sich unmittelbare Wirkung versprechen. Das ist ganz falsch. Sie übersehen, daß ihr Text, ihre Mimik und Gestik auf dieser Bühne längst überstrapaziert wurden und nur noch paradoxe Wirkungen erzielen. Das Gericht ist bei solchen Auftritten gelangweilt oder belustigt. Der Richter durchschaut das lächerliche Trauerspiel, schließlich hat er es zu oft gesehen, und ist verstimmt. Ach, es gibt wenige gute Schauspieler in unseren Rechtsverfahren.

Ein guter Schauspieler vermag uns zu überzeugen, für sich einzunehmen, und er erreicht, daß wir, selbst gegen unseren Willen, ihm folgen. Sein Talent stimmt uns nachsichtig, seine Kunst führt uns, wohin er will. Der Schmierenkomödiant hingegen verärgert und widert uns an. Wir fühlen uns von ihm belästigt und verurteilen ihn daher strenger und unnachsichtiger, als er es gewiß verdient. Und wenn er überdies den falschen Text aufsagt oder sein Spiel die Mitspieler nicht ausreichend berücksichtigt, ist alle Kunst vergebens, und er täte besser daran zu schweigen. Von tausend Angeklagten hat nur einer die Chance, selbst sein Urteil zu bestimmen. Sie ist hundertprozentig mit einem guten Regisseur, aber ohne mich ist sie wie Russisches Roulette.

Lächeln Sie oder sind Sie entsetzt, verehrter und geschätzter Kollege? Ich versichere Ihnen, die Gesetzgeber in ihrer Weisheit wußten darum. Lesen Sie Solon, und sagen Sie nicht, daß ich das Recht zu einer Hure mache. Die Welt ist weder vollkommen noch gerecht, wie sollte es da das Gesetz sein können.

Erlauben Sie noch ein Wort zur sogenannten öffentlichen Meinung. Ich zweifle nicht daran, daß Sie von ihr so gelangweilt sind, wie ich es selbst bin. Die öffentliche Meinung kennt nicht das Recht, sondern nur Rache und Mitleid, Gefühle also. Das Recht jedoch ist gefühllos, es muß sogar taub und blind sein, um urteilen zu können. Die öffentliche Meinung aber will – sanft geführt von den Medien oder brutal – ihrem Gefühl Genugtuung verschaffen, nicht dem Gesetz. Sie will den Angeklagten, gleichgültig ob schuldig oder schuldlos, hängen oder freigelassen sehen. Und das Gefühl ist nicht beständig. Der Gehängte gewinnt stets, wenn auch verspätet, die Sympathie. Ist er erst tot, fordert die öffentliche Meinung, ihn am Leben zu lassen und sogar in Freiheit zu setzen. Was immer an unserem Rechtssystem zu beanstanden ist, es hat den Einfluß der öffentlichen Meinung weitgehend ausgeschaltet. Ich gestehe Ihnen allerdings, daß mich als Anwalt ein Geschworenengericht durchaus interessieren könnte, eben wegen seines emotionalen Gehalts. Welche Möglichkeiten für einen genialen Regisseur und einen begabten Angeklagten! Sehen Sie die sich da eröffnende Welt! Es wäre der Punkt, von dem aus man das ganze Gebäude des Rechts umstürzen könnte. Was für ein grandioses Spiel für einen großen Spieler. Einen Spieler wie Napoleon. Oder wie mich.

Ich war überrascht, daß alle Zeitungen sich in meinem Fall lediglich entsetzt und ratlos gaben und völlig auf das Etikett Monstrum verzichteten. (Für die Verteidigung wäre ein solcher Titel ein glänzender Ausgangspunkt, denn nirgends findet die Leiter für einen gewagten Aufstieg einen festeren Halt als auf dem untersten Grund.) Es wäre zudem eine mir verständliche Bezeichnung. Als Monstrum bezeichnen wir ein Wesen, das bislang außerhalb unserer Erfahrungen existiert hat, eine uns fremde Erscheinung, eine Person, deren Logik jenseits unser Möglichkeiten liegt und fern von unserem Leben. Stellen Sie sich ein Tier mit einem übergroßen Leib und zierlichen Beinen vor. Das wäre durchaus monströs zu nennen. Wenn jedoch dieses Monstrum einen Platz in unserem Leben gefunden hat, wirkt es natürlich und sogar schön, wie ein Pferd oder Hirsch, die uns ansonsten sehr mißgestaltet erscheinen müßten. Würde in einer reinen Männergesellschaft erstmals eine Frau auftauchen, müßte sie nicht, und sei sie die Schönste der Welt, wie die Gestalt eines mißgestalteten Menschen wirken? Monströs ist das Fremde, mehr nicht. Ich denke, wir alle haben – so peinlich es auch für uns ist – etwas von einem kleinen Hitler in uns und nur sehr wenige etwas von einem Einstein. Also ist Einstein das Monstrum und nicht jener Herr Hitler. Wie gesagt, das ist durchaus unangenehm, auch mir, aber es ist bedauerlicherweise wahr. Mit Vergnügen würde ich daher die Möglichkeit ergreifen, nunmehr selbst als das Monstrum bezeichnet zu werden, allerdings wüßte ich, es ist nicht wahr. Es mag für die Menschheit nicht schmeichelhaft sein, aber ich gehöre zu ihr. Ich kann nur versichern, auch mir ist diese Verwandtschaft nicht eben lieb. Jedoch wir müssen miteinander auskommen. (Bei diesem Versuch sind die Gitter eines Gefängnisses gewiß hilfreich. Ich kann sie jedoch für mich nicht akzeptieren.)

Sie fragten mich mehrmals, seit wann ich diese für Sie so entsetzlichen Auffassungen, Gedanken und Gefühle habe, die mich zu meiner Tat bewogen. Seit wann?, was soll ich da sagen? Die Frage ist nicht beantwortbar. Irgendwann war ich jung, irgendwann war ich nicht mehr jung. Wann ging meine Jugend zu Ende? Wann beginnt das Alter? Wenn ich mir diese Fragen beantworten könnte, wäre ich in der Lage, auch auf Ihre Frage etwas Vernünftiges zu erwidern. Ich denke, alles geschah zur gleichen Zeit. Irgend etwas endete irgendwann, irgend etwas begann irgendwann, und irgend etwas geschah. Aber fragen Sie mich nicht, auch ich kenne die Antworten nicht. Was ich vermag, will ich tun: ich werde Ihnen erzählen, was ich davon weiß.

Bernhard Bagnall kam ursächlich durch mein Verschulden ums Leben, aber es gibt kein Motiv, das ich Ihnen oder demnächst dem Gericht verständlich machen könnte. Es war kein Mord und kein Totschlag, allerdings auch kein unglücklicher Zufall, wie ich nun in den seriöseren Blättern lesen kann. Es war eine Tötung, genauer: eine unerläßliche Tötung

Ich hatte und habe dafür ein Motiv, das Sie wie alle anderen nicht erkennen und akzeptieren können. Ich sagte Ihnen bereits, daß Bagnall starb, weil ich einen Ekel und Überdruß abzuwehren hatte. Für Sie war dies keine ernsthafte Antwort. Das mag sein, aber eine andere und korrektere Erklärung gibt es nicht.

Ich erfülle nun Ihre Bitte, Ihnen den Vorgang und seine Vorgeschichte ausführlich zu schildern. Falls es mir wider Erwarten gelingen sollte, Ihnen mein Motiv verständlich zu machen, werden Sie eingestehen müssen, daß auch Ihnen (und den hochzuverehrenden Damen und Herrn Richter und Staatsanwalt) der Beweggrund nicht völlig unbekannt ist. Was mich von Ihnen und allen anderen lediglich unterscheidet, ist, daß ich meinem Wunsch nachgab.

Die Tötung Bernhard Bagnalls erfolgte am Abend des 21. Juni. Sechs Monate zuvor war mein Vater gestorben. Sein Tod war insofern ein auslösendes Moment, als ich den alten Herrn (meine Stiefmutter starb bereits vor sieben Jahren) nicht mit den Mißlichkeiten hatte behelligen wollen, die auch für ihn nach meiner Verhaftung enstanden wären.

Ich wurde im August 1932 in Stettin geboren. Mein Vater war der Besitzer der Süßwarenfabrik Frieder Wörle & Co., eines Betriebs mit achtzehn Angestellten, mit wenigen Ausnahmen weiblichen. Meine Mutter war eine Dame der Gesellschaft, was für sie eine Tätigkeit darstellte, die sie als Beruf und Berufung empfand und der sie nicht weniger eifrig, selbstbewußt und unduldsam gegenüber jeder Nachlässigkeit nachging als der Superintendent oder der Direktor des Landgerichts ihrem Amt. Ich war das einzige Kind meiner Eltern und wurde verwöhnt. Ich hatte ein Kindermädchen, das später einer Mamsell wich, beide Damen waren sehr viel älter als meine Mutter und langweilten mich. Allerdings hatte ich ihnen gegenüber einen Vorteil, den ich bald erkannte und nutzte.

Meine Mutter, allein um die bessere Gesellschaft Stettins besorgt und um sich selbst als eines ihrer vorzüglichsten Mitglieder, erwartete von den Damen vor allem, nicht belästigt zu werden. Gelegentliche Klagen der altjüngferlichen Erzieherinnen hörte sie sich stets mit einem deutlich erkennbaren Widerwillen an, und ihre kurze und abschließende Bemerkung zu den in einem spitzen und gekränkten Ton vorgetragenen Beschwerden bestand in einem Hinweis oder vielmehr Befehl, die ihnen aufgetragene Arbeit selbständig und untadelig zu erledigen und nicht weiter die Dame des Hauses mit Kinderkram zu behelligen. Ich hatte also leichtes Spiel mit Kindermädchen und Mamsell. Sie waren es, die sich um einen Kompromiß mit mir bemühen mußten, was nichts anderes bedeutete, als daß sie sich meinen Bedingungen zu unterwerfen hatten, um nicht von meiner Mutter gerügt zu werden. Diese Konstellation erlaubte gewiß keine Erziehung nach den Grundsätzen und Lehrmeinungen der damals führenden Pädagogen, aber ich hatte eine glückliche Kindheit (und ich denke, dieses frühe Glück ersetzte reichlich eine lehrgerechte und methodische Betreuung).

Mein Vater gehörte nicht zur Gesellschaft. Er führte zwar in der dritten Generation jene backsteinerne Süßwarenfabrik, die meiner Mutter den Zugang zu den gesellschaftlichen Kreisen der Stadt ermöglicht hatte, aber Vaters Interessen, Haltung und Benehmen schlossen ihn – nach meiner Mutter Ansicht, aber auch nach seiner eigenen – aus den Salons aus. Er hatte, zusammen mit seinem Vornamen, die Gründermentalität seines Großvaters geerbt und zog es vor, bis in den späten Abend im Kontor zu bleiben und erschien zu Hause, selbst wenn Gäste eingeladen waren, erst in den Nachtstunden. Sein Verhältnis zu mir war fürsorglich, aber nicht eigentlich zärtlich oder väterlich. Da ich sein einziges Kind war, behandelte er mich, soweit ich zurückdenken kann, nie als ein Kind, sondern immer als den Erben seiner Fabrik. Es bedurfte eines verlorenen Krieges, um mich von der Last väterlicher Süßwaren zu befreien.

Ich gedachte in späteren Jahren häufiger des mir bestimmten Büros im Norden Stettins und stellte mir vor, wie ich mit vierzig oder fünfundvierzig Jahren, nachdem ich ein halbes Leben als Juniorchef der bevorzugte Laufbursche meines Vaters gewesen wäre, die Leitung der Fabrik übernähme und bis an das Ende meines Lebens die Ware der Lieferanten prüfte, die Kunden hofierte, die Angestellten ermahnte und die Lagerbestände kontrollierte. Ich würde mich um neue Produkte bemühen und gleichzeitig versuchen, der klassischen Palette meiner Produkte ihren Markt zu erhalten. Aufmerksam hätte ich das Verhalten der Konkurrenz zu beobachten und mich um junge, selbstbewußte Arbeitskräfte für die Werbung und den Vertrieb zu kümmern. Und sicher würde ich weiterhin die kleinen Blechschachteln „Schoko-Wör" verkaufen, wenn auch nicht mehr ausschließlich an die Luftwaffe wie in den letzten Jahren der Existenz der Fabrik. Ich wäre vermutlich mit einem Mädchen aus Stettin verheiratet oder mit der Tochter eines meiner Lieferanten. Ich hätte Kinder, und gewiß hätte ich mit einer oder auch mehreren meiner Angestellten ein Verhältnis. Ich gehörte zu den Honoratioren von Stettin, wäre Mitglied des Deutschen Klubs, des Kegelvereins und Sponsor der Feuerwehr und anderer gemeinnütziger Einrichtungen. Ein hübsches kleines Leben, nur leicht getrübt von den schweren Düften der klebrigen Süßwarenmasse und der im Keller lagernden, aber das ganze Gebäude beherrschenden öligen Essenzen, die mir schon als Kind zuwider waren.

Vater sah es gern, wenn ich, der künftige Erbe, ihn in der Fabrik besuchte. Ich durfte, solange ich wollte, in seinem Zimmer sitzen, oder ich konnte durch die hellblau gefliesten Räume wandern und den Frauen bei der Arbeit zusehen. In den Kriegsjahren arbeiteten – abgesehen von einem Rentner im Lager und einem verkrüppelten Maschinisten – nur noch Frauen in dem Gebäude. Ich war regelmäßig in unserer Fabrik, einmal wöchentlich, meistens mittwochs, weil da die Schule bereits am späten Vormittag zu Ende war. Ich ging jedoch nicht nur so häufig zu Vater, um mich der heimischen Aufsicht zu entziehen, der Mamsell mit ihren drei dicken Warzen im Gesicht, und den sehr seltenen Kontrollen meiner Mutter. Die Besuche in der Fabrik wagte Mutter mir nicht zu verbieten, obgleich sie darüber nicht erfreut war, da sie die Tätigkeit ihres Ehemannes degoutant fand und meine Vorliebe für die Fabrik mißbilligte. Daheim gab es darüber gelegentlich Auseinandersetzungen, die aber nur kurz waren, denn Vater nahm mein Interesse an seiner Arbeit und meiner künftigen Erbschaft befriedigt zur Kenntnis und förderte es nach Kräften, und Mutter wurde dieses Themas rasch überdrüssig und widmete sich wieder ihrer eigentlichen Berufung.

Ich genoß die kleinen Auseinandersetzungen und war stolz auf meinen Vater, der durchsetzte, daß ich, wann immer ich es wünschte, die Fabrik aufsuchen konnte. Ich hätte es nicht ertragen, diese Besuche aufzugeben, ich war süchtig nach der Fabrik, sie war meine Leidenschaft, die erste wirkliche Leidenschaft des Elf- oder Zwölfjährigen. Ich verspürte ein Kribbeln, wenn ich mich ihr näherte, das, sobald ich die roten Backsteine des Gebäudes erblickte, langsam nachließ, um einer um so heftigeren Vorfreude zu weichen.

Ich haßte die Schokolade, die mein Vater produzierte, und die Pralinen und Bonbons, die immer stärker nach Fett stanken und deren Nachgeschmack um so hartnäckiger an Lippen und Gaumen blieb, je länger der Krieg dauerte und je schneller die Front sich Deutschland näherte. Und ich ekelte mich vor den Gerüchen, die aus den Lagerräumen im Keller aufstiegen und durch das ganze Haus waberten, selbst in dem mit schweren, dunklen Möbeln ausgestatteten Büro meines Vaters roch es streng nach den Vorratstonnen, die einmal im Monat durch ein Pferdefuhrwerk von der Bahnstation geholt wurden.

Was mich in die Fabrik zog, mir den Mund ausdörrte und mir in den Augen brannte, was mich dazu brachte, meinen Ekel vor den dampfenden Kesseln voll klebriger Süße und dem Geruch billigen Fetts zu überwinden und Woche für Woche einen ganzen Nachmittag dort zu verbringen, waren die Frauen. Die Frauen, die am Band saßen und die Pappschachteln und Blechdosen füllten.

Ich wußte, daß ich für sie nur ein Kind war. Ich wußte, daß sie mit mir nur spaßten und wohl heimlich über mich lachten und vielleicht gar dumme und böse Witze machten, ich war schließlich auch der Sohn des gefürchteten Chefs und der Nachfolger. Engelshaar, riefen sie mich, und ich wußte, daß dieses Kosewort nicht nur freundlich gemeint war, es sollte auch eine kränkende und herabwürdigende Bemerkung und vor allem eine Schutzbehauptung für die Frauen sein, da mich dieses Wort zu einem kleineren Kind machte und machen sollte, als ich es war. Mit zwölf Jahren ist ein Junge kein Engelshaar mehr, und die Frauen wußten das ebensogut wie ich. Ich ließ mich auf ihr Spiel ein, ich verzog keine Miene, wenn sie mich mit diesem verhaßten Namen riefen. Es war eine Verabredung zwischen den Frauen und mir, mein wirkliches Alter zu übersehen und so zu tun, als sei ich noch immer das kleine Kind mit Goldhaar, das ich sicher irgendwann einmal gewesen war. Eine Verabredung, die wir nie ausgesprochen hatten, die wir nie aussprechen mußten.

Der Kosename war für mich kränkend, denn nichts wollte ich weniger sein als ein Kind, und nichts war mir damals verhaßter, als wenn man sich in der Familie und vor Gästen über meine früheren Äußerungen unterhielt und belustigte, doch ich fühlte instinktiv, daß ich keinesfalls diesen leicht durchschaubaren Irrtum aufklären durfte, wenn ich nicht meiner ganzen Seligkeit verlustig gehen wollte. So nahm ich die ärgerliche Kränkung hin, da ich ahnte, daß die Wahrheit meine Vertreibung aus dem Paradies bedeuten würde. Zudem genoß ich das Gefühl, ein erfolgreicher Betrüger zu sein, denn gleichzeitig und trotz meiner Vermutung war ich in jener Zeit felsenfest davon überzeugt, daß es mir irgendwie gelungen sei, alle Frauen, die an dem breiten, hellgrauen Gummiband saßen, über mein tatsächliches Alter zu täuschen. Erst sehr viel später, als Vaters Fabrik längst hinter einer unpassierbaren Grenze lag und jene Jahre in Stettin von den nachfolgenden Ereignissen verschüttet wurden und fast vergessen waren, wurde mir klar, daß ich keinesfalls der glänzende Spieler gewesen war, wie ich mir eingeredet hatte, sondern daß damals jeder jeden und sich selbst betrog. Eines kleinen Vergnügens wegen, das keiner aufgeben wollte. Wir, die Frauen und ich, gingen mit dem Glück unserer Mittwochnachmittags-Leidenschaft sorgsamer um, als es heute üblich ist. Wir ließen den bunten Schmetterling weiter fliegen und hüteten uns, ihm die Flügel auszureißen. Wir weigerten uns, auch die unansehnliche Raupe zu sehen, der er entschlüpfte. Wir wollten etwas genießen und schlossen daher die Augen. Ich weiß wie Sie, Herr Fiarthes, beides ist aus der Mode gekommen, und als Entschuldigung für unser Benehmen kann ich nur anführen, daß wir – die Frauen und ich – damals nicht sehr gebildet waren. Wir wußten es nicht besser und waren daher glücklich.

Wenn ich am Mittwoch Vaters Fabrik betrat, stürzte ich keineswegs sofort in den großen Saal im Erdgeschoß, in dem die Frauen an einem Band saßen, das die Konfektstücke aus der Halle mit den Rührwerken und Formmaschinen durch einen Mauerdurchbruch zu ihnen transportierte. Zuerst besuchte ich meinen Vater und Frau Rupert im ersten Stock und blieb für eine halbe Stunde bei ihnen.

Frau Rupert war Buchhalterin und Sekretärin und eine Frau mit großen Brüsten, die stets Häkelpullover trug, durch die ihre rosa Unterwäsche durchschimmerte. Sie war eine Perle an Fleiß und Gewissenhaftigkeit und lebte, da sie alleinstehend war, nur für ihre Arbeit und den Betrieb. Mein Vater schätzte und bezahlte sie hoch, denn er hatte begriffen, daß sie durch ihre äußerst penible Genauigkeit eine der Säulen der Süßwarenfabrik war. Schoko-Wör, das ist eigentlich unsere Frau Rupert, sagte er in ihrer Gegenwart häufiger zu mir. Sie wehrte immer geschmeichelt ab, aber als Vater die Fabrik aufgeben und mit uns aus der bedrohten Stadt fliehen mußte, lehnte sie es ab, auf den Treck mitzukommen, und vergiftete sich mit Zyankali. (In ihrem Abschiedsbrief zitierte sie ein Gedicht, das von Todessehnsucht sprach. Todessehnsucht war mir an Frau Rupert nie aufgefallen, und ich vermute, es war eher die Sehnsucht, einmal in ihrem Leben einen anderen Geschmack im Mund zu haben als die durchdringliche Süße der Schoko-Wör-Pralinen.)

Wenn ich an den Hallen im Erdgeschoß vorbei und die gußeiserne Treppe in den ersten Stock hinaufgegangen war, um in Vaters Büro zu gelangen, setzte ich mich auf einen der Besuchersessel und sah meinem Vater und Frau Rupert bei ihrer Arbeit zu. Ich muß sehr interessiert und aufmerksam gewirkt haben, denn ab und zu blickte einer der beiden auf, betrachtete mich lächelnd und sagte etwas Lobendes. Nachdem ich eine Zeitlang den Telefongesprächen und ihren kurzen, gegenseitigen Bemerkungen zugehört hatte, stand ich langsam auf und verabschiedete mich, um die weiteren Räume der Fabrik zu inspizieren. Vater ermunterte mich jedesmal ausdrücklich, indem er zu der kichernden Frau Rupert äußerte, daß der Juniorchef nun sein Imperium besichtige.

Ich schlenderte aus dem Zimmer, darum bemüht, ruhig zu wirken und ein wenig gelangweilt. Im Erdgeschoß öffnete ich die Eisentür zum Saal, und obgleich ich immer versuchte, leise und überraschend einzutreten, knackte die Tür so laut, daß es die Geräusche im

Saal übertönte und alle Frauen den Kopf zu mir gewandt hatten, wenn ich eintrat. Da ist ja unser Engelshaar, sagte dann eine der Frauen. Ich blieb wortlos an der Tür stehen. Die Frauen lächelten mich an, und ich wurde zu meinem Ärger verlegen und blickte auf meine Schuhe. Komm, mein Kleiner, rief Sophia, die in der Nähe der Eingangstür saß. Ich schob mich langsam vorwärts und stellte mich neben sie. Die Frauen kicherten, und Sophia umfaßte mich und zog mich auf ihren Schoß. Als ich sicher auf ihren Schenkeln saß, ließ sie mich los, um wieder mit beiden Händen die schwarzbraunen oder in farbiges Papier eingewickelten Konfektstücke zu greifen und in die Pappschachteln oder Blechdosen zu ordnen. Ich sah auf ihre Hände und verzog keine Miene. Sophias Finger glitten über das langsame Band und pickten aus dem vorbeigleitenden Durcheinander die richtigen Stücke heraus und legten sie mit den gleichen ruhigen und unablässigen Bewegungen in die vorgesehenen Öffnungen des gestanzten Futters der Verpackungen. War ein Karton gefüllt, stellte sie ihn mit der linken Hand zur Seite und griff gleichzeitig mit der rechten nach dem Stapel, um sich einen neuen Karton oder eine der Dosen zu nehmen. Ich saß aufrecht auf ihrem Schoß und wartete, bis Sophia endlich sagte: Nun sitz doch bequem, kleiner Mann. Dann lehnte ich mich zurück und rutschte auf ihrem Schoß so lange hin und her, bis mein Kopf zwischen ihren Brüsten zu liegen kam. Sophia füllte unentwegt weiter die Schachteln und Dosen, und ich atmete durch Mund und Nase, ich sog ihren Duft in mich und preßte meinen Körper fest an ihren. Und als ob mir nur darum zu tun sei, noch bequemer zu sitzen, schob ich mich hin und her, um erneut und anders ihren Körper und ihre Brüste zu berühren. Ich bewegte unmerklich den Kopf, damit ich ihre Schulter oder ihren Hals spüren konnte. Ich tippte mit der Nase auf den bunten Stoff der Kittelschürze oder streichelte mit den Ohren ihre Haut. Die Augen verschloß ich nicht, obwohl ich es liebend gern getan hätte, um mich stärker auf Sophias Duft konzentrieren zu können. Aber ich durfte die anderen Frauen nicht aus den Augen lassen. Ich fürchtete, sie würden meine verstohlenen Bewegungen entdecken und damit mein heimliches Vergnügen. Ich fürchtete ihren Spott, aber vor allem fürchtete ich, sie würden dahinterkommen, daß ich kein Kind mehr war, das man nach Belieben auf den Schoß nehmen und drücken konnte. (Mein Gott, das war, was Frauen betrifft, nicht die letzte Dummheit und auch nicht mein größtes Mißverständnis. In den ersten dreißig Jahren meines Lebens begriff ich eigentlich alles erst hinterher. Dann war ich sehr gut und wurde immer besser, was das Begreifen betraf, aber leider nicht mehr zwanzig. Das Leben wäre eine faireres Spiel, wenn man gelegentlich einen Blick ins Drehbuch werfen könnte.)

Ich hielt mißtrauisch Ausschau, was die Frauen machten, während ich mit behutsamen und kräftigen Bewegungen meines Kopfes Sophias Körper erkundete. (Die Frauen schauten verstohlen und kichernd zu mir, um zu sehen, wohin ich meine Nase steckte.) Sophia füllte weiterhin das Konfekt ein, ihren Kopf hatte sie vorgebeugt, um besser das Band zu sehen, aber auch um mir ins Ohr zu flüstern: Sei nicht so grob, was machst du denn, mein Kleiner, du tust mir weh. Aber all das sagte sie ohne jeden Vorwurf, eher liebevoll, so daß ich jede ihrer Ermahnungen als eine neue Gelegenheit gebrauchte, um mich an sie zu pressen, sie zu berühren und ihre nackte Haut zu riechen.

Irgendwann sagte die Nachbarin (Therese, die Älteste, Mitte Dreißig, rötliche Haut, stets leichter Zwiebelgeruch, ein großes Medaillon oberhalb ihrer Brüste, das meinem Kopf eine Orientierungshilfe gab) zu Sophia: Nun gib mir mal den Kleinen. Und ohne sich von deren Protest abhalten zu lassen, faßte sie mich mit beiden Händen und zog mich von Sophias Schoß auf den ihren. Sophia beschwerte sich laut, die anderen Frauen juchzten, und Therese sagte zu mir: Nun setz dich mal bequem hin, mein goldenes Engelshaar. Und ich rutschte mit meinem Hintern auf ihrem Schoß hin und her, bis ich auch Therese ausreichend fühlen und riechen und streicheln konnte. Daß auch Therese zufrieden war, spürte ich an ihrem leisen Schnaufen. Sie blies mir ihren Atem ins Ohr und flüsterte fortwährend: Ach, du mein Engelshaar. Die Konfektstücke ließ sie dann an sich vorbeirollen, ohne sie zu greifen, nur um ihrem Engelshaar über den Kopf zu streicheln oder mit der Hand über meinen Hals und Rücken zu gleiten. Und die Konfektstücke sammelten sich am Ende des Bandes, von wo aus sie wieder an den Anfang der breiten und schweren Gummischlaufe gebracht wurden, um erneut vor den Frauen entlangzuziehen. (An diesen Mittwochnachmittagen kamen ein paar Schoko-Wör-Dosen weniger zum Versand an die Luftwaffe. Einige der Piloten stiegen ohne die sicher heißgeliebten Blechdosen meines Vaters auf oder erhielten wegen ihrer unzureichenden Ausrüstung – kein Schoko-Wör im Gepäck! – keine Starterlaubnis. Ich wußte es damals nicht, aber während mein Hinterkopf die Brüste der Angestellten meines Vaters erkundete, betrieb ich unzweifelhaft Wehrkraftzersetzung. Damals ein todeswürdiges Vergehen, heute eher eine Heldentat. Ein zwölfjähriger Widerstandskämpfer! Verehrter Herr

23

Kollege Fiarthes, wollen Sie nicht diese Volte vor Gericht schlagen?)

Anschließend griff Maria nach mir. Sie zerrte an meinem Arm, bis Therese mich freigeben mußte. Maria trug keinen Büstenhalter. Ich weiß nicht, ob ich es allein bemerkt hätte (ein Hinterkopf tastet nur ungenau), aber die anderen Frauen wiesen mich darauf hin, jeden Mittwoch erneut, unter lautem Kreischen, die Hände vor den Mund gepreßt. Mein Hinterkopf fühlte, wie gesagt, die befreiten Brüste nicht, aber da ich um ihre Hüllenlosigkeit wußte, war meine Fantasie angeregt, und ich glaubte, die Brust bei Maria deutlicher zu spüren als bei den anderen Frauen.

Auf Maria folgte Gerti. Sie war die einzige, die nicht nach mir griff, ihr wurde ich auf den Schoß gesetzt. Sie war auch die einzige, die mir nichts ins Ohr flüsterte und die sich nicht an mich lehnte. Sie war erst siebzehn oder achtzehn Jahre, aber in den wenigen Jahren, die uns trennten, war eine unüberwindliche Hürde enthalten, die Geschlechtsreife. Beide waren wir, wenngleich auf verschiedenen Seiten, dieser Barrikade zu nah, als daß sie auch für Gerti zu übersehen war. Ich saß bewegungslos auf ihrem Schoß. Wenn sie mich unabsichtlich berührte, während ihre Finger durch die Konfektstücke schwirrten, knurrte sie leise und verärgert. Und irgendwann gab sie mir einen Stoß mit einer Bewegung ihrer Schulter und sagte: Nun geh schon weiter. Ich ließ mich rasch und eigentlich etwas erleichtert auf den Fußboden gleiten.

Gertis Nachbarin streichelte mir über den Kopf, bevor sie mich mit beiden Händen griff und auf ihren Schoß zog (Brigitte, stark parfümiert, ein schlanker Oberkörper auf einem breiten Becken, großporige Oberarme). Sie hauchte mir ihren heißen Atem in den Nacken, und ich genoß es als Versprechen, ein Versprechen, das ich noch nicht einzufordern vermochte.

Blättern Sie nicht, Herr Kollege. Wir sind beide erfahren und geübt, Akten zu lesen. Und wenn Sie mir diese Routine nicht absprechen wollen, so sollten Sie mir auch zugestehen, daß ich Ihnen kein Papier übergebe, in dem Seiten oder auch nur Zeilen zu überblättern sind. Die wenigen Bemerkungen zu meiner Kindheit haben hier ihren Platz. Denn was Sie zu erfahren oder zu begreifen wünschen, ist damit verwoben. Verehrter Kollege, wenn Sie mich nur einmal gesehen hätten, damals, für eine Sekunde, einen Jungen mit kurzen Hosen und beinlangen, graubraunen Strümpfen, der mit einer Rute in einer Pfütze rührt oder sich von erwachsenen Frauen verstohlen und sehr gern auf ihren Schoß ziehen läßt, Sie stünden nicht weiter vor einem Rätsel bei dem Fall Wörle. Und ich schreibe diese Seiten schließlich nur, um Ihnen diesen Blick zu eröffnen, den Augenblick meiner Kindheit.

Wir sind nicht am Ende dieser Reihe der Damen meiner Kindheit, aber Sie haben genug gesehen, Herr Fiarthes. Ich bedaure noch heute, daß dies alles vorschnell im Krieg versank. Für zwei, drei Jahre wenigstens hätten diese Mittwochnachmittage ihren Platz in meinem Leben haben sollen, die zwei, drei Jahre, die mir fehlten, um jene Barriere zu überwinden, die mich damals quälte und beunruhigte, auf die ich von den Erwachsenen hingewiesen und über die auch die Frauen am Band bei meinen Besuchen sprachen, spöttisch, mitleidig oder auch mit aufmunternd gemeinten bösen Anspielungen. Eine Barriere oder doch wohl mehr ein Durchgang, den ich als Kind betreten hatte und als pickliger junger Mann verlassen würde. Diesen Übergang, ich hätte ihn gern in der Begleitung meiner Mittwochnachmittags-Frauen vollzogen. Der Krieg ging für mich zu früh verloren oder hatte zu früh begonnen. Auch ich muß mich zu den Kriegsverlierern zählen, und damit meine ich keineswegs die Süßwarenfabrik des Vaters. (Freilich, ich war an den wöchentlichen Produktionsausfällen schuld, an der so entstandenen Wehrkraftzersetzung. Mein Paradies ging auch durch meine Sünden verloren.)

Die Fabrik besaß einen Duschraum, ein für jene Jahre nicht eben üblicher Luxus, geschuldet gleichermaßen dem sozialen Gewissen meines Vaters wie den baulichen Gegebenheiten. Der Raum im Keller war bereits gefliest, als mein Großvater das Gebäude kaufte, und hatte einst rituellen Schlachtungen gedient. Als Lagerraum war er zu feucht, so daß Vater ihn zum Umkleide- und Duschraum umbauen ließ.

Selbstverständlich begleitete ich Sophia und Therese, Maria und Gerti, Brigitte und Hilde, Josephine und Johanna (um endlich auch die restlichen, mir unvergeßlichen Namen zu nennen, und ich nenne sie Ihnen gern) in den Umkleideraum oder vielmehr, ich wurde von ihnen mitgeführt und auf einen Holzschemel an der Eingangstür gesetzt. Die Frauen verschwanden hinter den Holzspinden und zogen sich aus. Dann liefen sie in Handtücher gewickelt an mir vorbei in den Duschraum. Ich hörte sie kichern und juchzen durch die Tür, eine schwere schweinslederartige Blende, die die Dusche abschloß und nur durch einen Mittelschlitz zu öffnen war, indem man eine der sich überlappenden Hälften zurückdrückte, so daß man durch die so entstehende schmale Öffnung ins Bad schlüpfen konnte.

Ich bin nie hineingegangen. Die Frauen haben mich nie dazu aufgefordert. Heute bin ich sicher, daß sie darauf warteten. Sie hatten erwartet, daß ich ihnen nachkommen, daß ich irgendwann mich durch die dicke gelbliche Tür, den Schlitz meiner Sehnsüchte, schiebe und ihnen verlegen zusehen würde, wie sie sich unter dem warmen Wasser rekelten. Und dann hätte mich eine von ihnen aufgefordert, näher zu kommen, um ihr, und dann allen, den Rücken einzuseifen. Aber noch war ich zu jung, ich wagte es nicht. Ein, zwei Jahre später wäre ich hineingegangen, barfuß, sicherlich das Herz im Hals, einen Richtspruch erwartend, Aufnahme oder Vertreibung aus dem Paradies. Aber der Krieg kehrte nach Deutschland zurück, und mit der Schokoladenfabrik Schoko-Wör versank für mich eine Welt, die ich nie betreten hatte, an deren Eingang ich jedoch mehrere Jahre gestanden und gewartet hatte. Zu spät. Zu früh. Zu lange gewartet. (Wohlgemerkt, ich bedaure es, aber ich beklage es nicht. Ein junger, aktiver und erfolgreicher Wehrkraftzersetzer sollte nicht über die Folgen seiner Wirkung klagen.)

Adieu, Sophia und Therese und Maria und Gerti und Brigitte und Hilde und Josephine und Johanna. Ich gestehe, es bereitet mir noch heute Vergnügen, ihre Namen aufzusagen. Mit ihren Namen erscheint dieses versunkene Paradies vor meinen Augen. (Warum lächeln Sie, Herr Kollege. Sind Sie denn so jung, um mich nicht zu verstehen? Mir bereiten nur noch meine Erinnerungen ungeteiltes Vergnügen – denn meine Spiele sind kein Spaß, es sind Spiele aus Notwehr –, ohne daß ich die geteilten Freuden meines Alters verschmähe oder geringschätze. Sie sind allerdings durch die Gitter des Untersuchungsgefängnisses derzeit ärger beschränkt als durch mein Alter.) Adieu, süße Gespenster meiner Kindheit. Eure Schatten werden meine dunkler werdenden Tage begleiten.

Im März des letzten Kriegsjahres verabschiedete Vater die Angestellten seiner Fabrik, verschloß alle Zimmer und das Tor, um dann mit dem firmeneigenen Lastwagen, auf dem sich zwei der mir vertrauten Schoko-Wör-Kartons befanden, nun allerdings nicht mit den darauf annoncierten Pralinenschachteln und Blechdosen, sondern mit Akten gefüllt, sowie drei größere Benzinkanister, zu seiner Villa zu fahren. Der Abschied von den Angestellten erfolgte unter Zeitdruck, denn in der Stadt glaubte man bereits seit Tagen Geschützdonner zu hören, dennoch fand sich Zeit für Worte der Dankbarkeit, der Anerkennung und der Versicherung, nie zu vergessen (mein Vater) sowie für Tränen (Frau Rupert sehr reichlich, meine Damen zurückhaltender und nur vereinzelt, ihr Abschiedsbonus war auch erheblich geringer ausgefallen).

Daheim belud Vater den Lastwagen mit einigen Möbeln und den bereits gepackten Koffern und Kisten. Zum Entsetzen meiner Mutter traf er eine rigorose Auswahl unter den Schätzen ihres Hauses. Unter dem lauten Jammer seiner Frau und ohne auf ihre wütenden Vorhaltungen und Beschimpfungen zu reagieren, sortierte er aus und trennte das Lebensnotwendige von allem Überfluß. Er verabschiedete sich damit und anscheinend leichten Herzens von einem prachtvollen Haus und einer reichen Vergangenheit. Der Lastwagen war keineswegs überfüllt, als Vater verkündete, daß kein weiteres Stück mehr auf die Ladefläche komme, und mit dieser Bemerkung meiner Mutter das Herz brach. Als sie am nächsten Morgen mit mir in die Fahrerkabine stieg – Vater hatte im Lastwagen geschlafen, um notfalls Diebe abwehren zu können –, war sie eine gebrochene Frau. Sie klagte nicht mehr, sie jammerte nicht, sie schwieg. Vier Monate später, als zu dem Verlust ihrer

Lebensmitte und ihres Lebenssinns noch die schiefen Gesichter und bösartigen Bemerkungen der thüringischen Verwandtschaft hinzukamen, bei der uns Vater einquartiert hatte, starb sie. Der Arzt stellte Herzversagen fest. Die eigentliche Todesursache war der Verlust eines vollständig eingerichteten Salons in Stettin, aber eine derart genaue und zutreffendere Diagnose hätte auch eine gründlichere Untersuchung der Leiche meiner Mutter nicht ergeben. (Überdies wäre die Bemerkung: „Verlust eines Salons und Musikzimmers" in der Rubrik Todesursache amtsärztlich nicht zulässig.) Vater jedenfalls akzeptierte wortlos das attestierte Herzversagen, so daß sich die Beisetzung nicht verzögerte.

Am 18. März hatten wir Stettin verlassen. Am Morgen vor unserer Abfahrt war Vater zu Frau Rupert gegangen. Er wollte seiner langjährigen Sekretärin nochmals jenen Platz auf dem Lieferwagen anbieten, den sie bereits mehrmals abgelehnt hatte. Er kam mit der Nachricht zurück, daß sie sich vergiftet habe. In der Hand ihren Abschiedsbrief umarmte er mich und sagte leise und verzweifelt: Nun ist die Fabrik tot.

Ich weiß nicht, ob Frau Rupert mehr für ihn war als nur eine Sekretärin. Vielleicht hatte er bei ihr gefunden, was der Juniorchef bei den Damen am Fließband suchte (zu früh und daher fast vergeblich). Ich habe auch später nie gewagt, ihn danach zu fragen.

Ich war dreizehn, als wir vor der heranrückenden Front die Heimatstadt verließen. Ich habe diese Stadt später nie besucht. Ich wollte das vermutlich verfallende Gebäude, mein verlorenes Erbe, nicht wiedersehen, vielleicht aber scheute ich auch nur, einer meiner geliebten Schmusefrauen wiederzubegegnen (gewiß gleichfalls verfallen).

Zwei Monate lang rollte unser Lastwagen über die

verstopften Straßen. Die aufgeladenen Schätze des Hauses schmolzen zusammen, teilweise im Tausch gegen ein Quartier oder Essen, teilweise durch Diebstahl. Häufig saßen auf der Ladefläche andere Flüchtlinge, die zu Fuß unterwegs waren und die Vater, den zusammengekniffenen Mund von Mutter nicht beachtend, für eine Wegstrecke mitnahm.

Ende Mai kamen wir zu Fuß in Tiefenort an, einem kleinen Flecken an der Werra, und Vater entschloß sich, hier unsere Reise zu beenden. Er hatte sich für diese Kleinstadt entschieden, nachdem zwei Tage zuvor aus dem Lastwagen die Ölpumpe und die Batterie gestohlen worden und wir seitdem mit einem kleinen Leiterwagen unterwegs waren, den Vater und ich zogen, aber auch weil in Tiefenort ein Cousin von ihm als Arzt praktizierte und eine geräumige Villa besaß.

Die Beziehung zu diesem Cousin war, wie ich aus den Gesprächen der Eltern folgerte, einst sehr eng gewesen, aber seit der Heirat des Cousins frostig geworden. Ein Vorfall auf seiner Hochzeitsfeier schien sowohl den Cousin wie meine Mutter aufs äußerste gereizt zu haben. Den spitzen Bemerkungen meiner Mutter war zu entnehmen, daß mein Vater, damals noch nicht verheiratet, aber mit meiner künftigen Mutter schon verlobt, und die Braut des Cousins an jenem Tag für fast zwei Stunden unauffindbar und später nicht bereit oder in der Lage waren, ihre Abwesenheit zu erklären. Dieses bedeutsame Ereignis lag fünfzehn Jahre zurück, stand aber offenbar den Beteiligten und den unbeteiligt Betroffenen noch so lebendig vor Augen, daß es, bei Vaters Ankündigung, in Tiefenort zu bleiben, meiner Mutter gelang, ihren auf der ganzen Reise zusammengekniffenen Mund noch mehr zusammenzupressen, und die Frau des Cousins beim Anblick meines Vaters errötete, freilich leuchtete der zarte Schimmer der Verlegenheit oder Freude nun auf einem durchaus nicht mehr jungfräulichen Antlitz, sondern auf einem von Fettpolstern und den alltäglichen Widrigkeiten, eingeschlossen die des Ehealltags, gezeichneten Gesicht. Und daß der Cousin, er erschien, von seiner Frau gerufen, im weißen Kittel an der Wohnungstür, statt einer Begrüßung nur abweisend sagte: Du wagst es tatsächlich, hierher zu kommen.

Vater ließ sich von diesem Empfang nicht beeindrucken, sondern trug gemeinsam mit mir die verbliebenen Koffer und Kartons in den Keller des Hauses. Nach dem Abendessen eröffnete er dem Cousin und dessen Frau, daß er beabsichtige, sich vorerst in Tiefenort niederzulassen, und sich morgen um eine Arbeit kümmern werde. Und wo wollt ihr wohnen? fragte der Cousin. Ich dachte, bei euch, erwiderte Vater.

Mein Onkel trug eine Reihe gewichtiger Gründe vor, weshalb ein längeres Verweilen unserer Familie in seinem Haus unmöglich sei (den Vorfall auf seiner Hochzeitsfeier erwähnte er nicht), doch Vater reagierte darauf nur mit der sehr allgemeinen Bemerkung, es seien tatsächlich schwere Zeiten.

Am nächsten Morgen bewarb er sich in der Holzfabrik des Ortes und wurde sofort als Prokurist eingestellt. Anschließend ging er zu den noch amtierenden Resten der Stadtverwaltung, erklärte, wer er sei und woher er komme, erläuterte sein verwandtschaftliches Verhältnis zu seinem Cousin und ließ sich eine Einweisung in dessen Villa ausstellen.

Als er dem fassungslosen Cousin die schriftliche Entscheidung der städtischen Behörde vorlegte, fügte er begütigend hinzu: Hans, das ist immer noch besser, als wenn dir der Bürgermeister wildfremde Leute ins

Haus schickt. Dann bat er ihn, zwei Räume im oberen Stock der Villa zu räumen, und trug unsere geretteten Habseligkeiten hinauf. Vater ließ sich in keiner Weise von der unverhohlenen Feindseligkeit der Verwandten beeindrucken. Unbekümmert bat er den Cousin um Bettstellen und dessen Frau um eine Kochplatte, Töpfe und eine Pfanne. Er ging morgens vergnügt zur Arbeit und kam jeden Abend wohlgelaunt zurück, von sich selbst begeistert, da er jeden Tag irgendeine Kleinigkeit für seine Familie und sich organisieren konnte.

Mutter saß tagsüber im Zimmer. Sie scheute sich, das Haus zu verlassen, um nicht dem Arzt oder seiner Frau auf der Treppe oder im Hausflur zu begegnen. Sie hatte alles verloren, was ihr das Leben wertvoll erscheinen ließ, geblieben waren ihr ein gleichgültiger Mann, ein Sohn, der ihr lästig und fremd war, und zwei Zimmer, die sie schmerzlich und jeden Tag erneut auf den Verlust ihrer eigenen glanzvollen Villa in Stettin verwiesen. So saß sie den ganzen Tag in einem der beiden Zimmer, verwünschte ihren Mann (obwohl nicht mein Vater, sondern Adolf Hitler den zweiten Weltkrieg verloren hatte), schickte mich jeden Augenblick mit unsinnigen Aufträgen auf die Straße, um allein sein zu können, und fürchtete sich vor den bösen Blicken meines Onkels und dessen Frau. Am 17. Juli starb sie in dem Zimmer, in dem sie tagsüber kochte und ich nachts schlief, einfach dahin.

Ich fand sie am Nachmittag und wartete bei der langsam erkaltenden Leiche, bis mein Vater von der Arbeit kam. Ich sagte, daß Mutter tot sei, und fragte, ob Blicke töten könnten. Vater verstand mich augenblicklich und verbot mir, solange wir noch die Gastfreundschaft des Cousins in Anspruch nehmen müßten, solche Fragen zu stellen.

Mutters Tod kränkte Vater. Er war erst wenige Wochen als Prokurist in der Holzfabrik tätig und mußte nun bereits um zwei freie Tage bitten. Da in dieser Zeit das Sterben sehr gewöhnlich war, konnte er kaum mit Beileid oder einem Entgegenkommen seines Chefs rechnen. Seine Bitte mußte viel mehr seine Arbeitsmoral in einem zweifelhaften Licht erscheinen lassen. Er erhielt jedoch den gewünschten Urlaub, und er behielt seine Arbeit.

Ich begleitete Vater zur Stadtverwaltung, zum Pfarrer und zur Friedhofsdirektion. Ich erinnere mich, daß Vater mit dem Totengräber zu handeln suchte, da ihm das Ausheben der Grube überteuert erschien. Beide waren schwarz gekleidet, der eine der teuren Toten, der andere der teuren Kundschaft wegen, und sie verhandelten eine halbe Stunde über die Arbeit und den Preis, den das Ausheben von vier Kubikmetern Erde durch Handarbeit ergibt. Der Totengräber gewann den Streit mit der Bemerkung, bei gefrorener Erde wäre das Grab drei Mark fünfzig teurer, und dem Hinweis, daß er für das Erdeschaufeln auf diesem Friedhof ein Monopol besäße. Beide Erklärungen überzeugten meinen Vater.

Die Mienen der Verwandten hellten sich durch den Tod meiner Mutter nicht auf, was mir durchaus logisch schien, da nicht Mutter, sondern mein Vater vor fünfzehn Jahren und für zwei Stunden mit der Braut verschwunden war.

Wir wohnten noch bis zum März des folgenden Jahres im Haus meines Onkels. (Er hatte zwei Töchter, die in meinem Alter waren. Ich habe jedoch keine Erinnerungen an sie. Offensichtlich waren sie zu jung, um nach den Damen von Schoko-Wör mein Interesse erregen zu können.)

In diesem Frühjahr gab Vater seine Arbeit als Prokurist auf. (In Wahrheit hatte er nie als Prokurist ge-arbeitet. Seine Tätigkeit würden wir, verehrter Herr Kollege, als Beschaffungskriminalität kennzeichnen. Damals war sie schlicht die Voraussetzung jeglicher Produktion und wurde, nach einem leutseligen Bischof, der den Mundraub aus dem Sündenregister gestrichen hatte, fringsen genannt, was dem Vorgang eine katho-lische und damit heiligende Aura verlieh.) Er zog mit mir in die Wohnung einer Witwe und übernahm die Leitung des von ihrem gefallenen Mann hinterlassenen Thüringer Briefmarkenversands. Sein Cousin begleite-te unseren Auszug aus seinem Haus mit unverhohlener Freude. Seine Erleichterung war verfrüht, denn vier Tage später wiesen die städtischen Behörden eine sechs-köpfige Familie bei ihm ein.

Zwei Jahre ging ich in Tiefenort zur Schule. Unter-richtet wurde ich von drei sehr alten Lehrern, die in dem Ruf standen, antifaschistisch zu sein (alle drei wa-ren erklärte Monarchisten, hatten deshalb die beiden letzten Regierungen mit Skepsis betrachtet und erschie-nen dadurch den neuen Behörden geeignet), und zwei jungen Leuten, sogenannten Neulehrern, die ständig verschwitzt wirkten (sie hatten Mühe, ihren Wissens-vorsprung uns gegenüber, der genau vierundzwanzig Stunden maß, aufrechtzuerhalten). Ansonsten bestand die Schulzeit aus Prügeleien. Die Kinder der Einhei-mischen, in unserer Klasse waren es siebzehn, prügelten sich mit den Flüchtlingskindern, wir waren acht. Ich entwickelte gewisse Techniken, gefürchtet waren meine Fußtritte, die ich, selbst wenn ich von drei Jungen fest-gehalten wurde oder bereits auf dem Boden lag, wirk-sam einzusetzen verstand.

Daheim wurden die Prügeleien fortgesetzt. Vaters Witwe, wie ich meine Stiefmutter nannte, hatte einen

Sohn, Johannes, der zwar zwei Jahre jünger als ich war, aber einen halben Kopf größer, und es durchaus mit mir aufnehmen konnte. Statt des offenen Kampfes bevorzugte er es, mich anzugreifen, und dann rasch, ehe ich mich wehren konnte, nach seiner Mutter zu rufen. Die Witwe kam umgehend, um ihrem Liebling beizustehen. Um mich des Bastards zu erwehren, mußte ich mir feine und komplizierte Tatzenschläge ausdenken.

Ich bin von Natur aus nicht bösartig, aber ich bin ein Spieler und, wann immer ein Spiel mich reizt und gleichgültig, ob ich mir Chancen ausrechnen kann, stets bereit, mich zu stellen und zu behaupten. Auf welchem Feld ich auch antrete, ob willig wie bei meinen Damen von Schoko-Wör oder umständehalber wie in der Schule von Tiefenort und bei dem Witwensohn, ich akzeptiere es als Spielfeld und versuche, nach den jeweils gültigen Regeln zu einem erfolgreichen Zug zu kommen. (Lieber Herr Fiarthes, ich nehme es hier schon vorweg: auch jene, wie Sie sagen, entsetzliche Tat, die Sie nun mehr beschäftigt als mich, war im Grund ein Spiel, durchdacht, geplant, Varianten ausprobierend und verwerfend, bis ich endlich, ganz kühl und berechnend, den entscheidenden Stoß ausführte, der das Spiel nicht beendete, aber dennoch ein Höhepunkt war, jener orgiastische Moment, den jeder Spieler herbeizuführen trachtet, den er anstrebt und gleichzeitig fürchtet, weil er ein Ende ist, das Ende des Spiels, aber auch jedesmal ein kleiner Tod des Spielers.)

Auch die Bösartigkeiten, zu denen mich jener widerliche Bastard nötigte, ich nahm sie als ein Spiel, etwas lästig, aber nicht ohne den Reiz von Verlust und Gewinn. Eine Herausforderung des Geistes. Eine Formel zu finden, ein Plädoyer aufzubauen, ein technisches Gerät bis zur Vollendung zu entwickeln oder ein großes

Spiel mit seinem Reichtum von Zügen und Varianten, scheinbaren Zufälligkeiten und überraschenden Balläufen zu schaffen – hat nicht alles den gleichen Reiz für uns, kostet es nicht gleiche Anstrengungen und gewährt es uns, im Fall des Erfolgs, nicht den gleichen Genuß, die gleiche Befriedigung? Was uns zu alledem anspornt, ist der Wunsch, ein Schöpfer zu sein, ein Gott. Eine Maschine zu bauen oder eine Bombe, ein Serum zu entdecken oder das Dynamit zu erfinden, die Unterschiede sind lächerlich. Was uns reizt und antreibt und endlich zufriedenstellt, ist die Vollendung. Einen ausgemachten Verbrecher erfolgreich gegen ein Gericht, gegen die Medien und ein ganzes Volk zu verteidigen, ist für Sie doch sicher so reizvoll und befriedigend wie für mich. Es ist überdies ehrenwert, denn es vergrößert unseren Ruhm. Aber glauben Sie mir, sind die Schurkereien dieses Verbrechers nur reich und verwinkelt genug, von vielen Gefährdungen und Zufälligkeiten bedroht und ihr Erfolg ebenso abhängig von einem fast perfekt funktionierenden Kopf, so ist der Genuß des Spiels für den Ganoven so groß wie der angestrebte Gewinn. Es sind Spiele, die uns am Leben halten, nur Spiele, Verehrtester. Verteidigen Sie meinen Anspruch, spielen zu dürfen, um weiter leben zu können. Ich wünsche Ihnen dazu Erfolg, und ich werde Ihnen den Erfolg, weiß der Himmel, neidlos gönnen.

Ich war zwölf Jahre, als ich bemerkte, daß mich weibliche Reize, zumal in großer Fülle und bereitwillig angeboten, beunruhigen, verwirren und anziehen. Ich war vierzehn, als ich feststellte, daß für mich ein Reiz existiert, der mich kaum weniger zu beschäftigen und zu erregen vermochte und dessen Narkotikum mich vielleicht noch nachhaltiger fesseln konnte. Der Hunger, der Ruhm und der sexuelle Trieb, heißt es, würden uns am Leben halten. Ich weiß, was der Hunger vermag. Es war in den Nachkriegsjahren und zumal auf dem Treck unvermeidlich, daß ich den Reiz dieser Peitsche zu spüren bekam. Der Hunger hat Kräfte in mir geweckt, von denen ich nichts wußte und die mich überraschten und anfangs erschreckten. Aber der Hunger war zu stillen, jeder Hunger ist zu stillen, auch der nach Liebe und nach Ruhm. Ich habe mich von ihnen treiben und jagen lassen. Und dann? Heute langweilt mich jeder Hunger bereits in dem Augenblick, in dem er mich quält, denn ich sehe schon den Moment voraus, in dem ich ihn beruhigen kann und in dem ich wieder in eine reizlose Einsamkeit zurückkehren muß. Was mir blieb, was mich am Leben hält, ist der Kitzel des Spiels. Und nur eines Spiels wegen müssen Sie sich mit mir befassen, treiben wir nun dieses Spiel. Drängt nicht auch Sie die Lust zu gewinnen und das Unbehagen oder sogar eine kleine Angst, doch verlieren zu können? Und auch Sie werden nicht mehr gewinnen oder verlieren als ein Spiel. Es vertreibt die Langeweile, nicht wahr. Erst wenn das Spiel aus ist, sind wir tot.

Mit meinem Bruder, dem Bastard, war ein offener und fairer Kampf nicht möglich. Er war kein Spieler und somit kein Gegner, er wollte lediglich gewinnen, gegen mich gewinnen. Eine ärgerliche Situation. Also bastelte ich kleine Fallen, in die er brav hineinlief, und wenn ihn seine Mutter ohrfeigte, völlig zu Unrecht, wie er und ich wußten, konnte ihm keiner mehr helfen, nicht einmal die ihn ohrfeigende Witwe. Und je mehr er erklären und aufdecken wollte, je tiefer rutschte er in seine von mir konstruierte Schuld und Bestrafung.

Glanzstück meiner Intrigen war ein über mehrere Wochen sich erstreckendes Spiel, das schließlich dazu führte, daß ihn selbst mein Vater vor den Augen der

Witwe bestrafen mußte. Ich wußte, wie schwer Vater diese Ohrfeige fiel. Ich merkte, wie er, der Witwe zuliebe, um den Bastard bemüht war. Und ich hatte bemerkt, wie auch der Bastard Vaters Zwangslage entdeckt oder erahnt hatte und sie durchaus geschickt zu nutzen verstand durch Verweigerung, durch spröde Abwehr und durch ein demonstratives Hinwenden zu seiner Mutter.

Um so unvorbereiteter traf ihn die Ohrfeige. Er bekam den Schlag und wollte ihn nicht glauben. Fassungslos sah er meinen Vater an, dann blickte er zu der Witwe. Er war keineswegs gekränkt oder wütend, er war nur verwundert. Er verstand nicht, was passiert war. Ein Erdbeben in der Wohnstube hätte ihn nicht mehr überraschen können. Und erst als er zu mir sah und meinen bestürzten, mitleidenden Blick wahrnahm, dämmerte ihm, was geschehen war. Er begann augenblicklich zu heulen, nun das Gesicht von dem offenbar spät wirkenden Schmerz verzerrt. Er schrie, ich sei der wirkliche Täter. Alle drei Krawatten meines Vaters waren wochenlang verschwunden gewesen und fanden sich schließlich, sorgsam zerschnitten, in der Laube mit den Gartengeräten, es gab keine Spuren, die auf den Bastard gewiesen hätten, vielmehr gab es deutliche Zeichen, daß ich der Krawattenschnitter gewesen sein müsse, so überdeutliche und vordergründige Anzeichen, daß sie sich selbst in Frage stellten und endlich und notwendigerweise auf den Stiefbruder deuteten.

Seine nun vorgetragene Beschuldigung war selbst der Witwe zu viel, und in dem Glauben, ihr Sohn füge nun noch den Untaten des Krawattenzerkleinerns und der falschen, mich beschuldigenden Spurenlegung ein schamloses Lügen und Denunzieren hinzu, langte auch sie über den Tisch, um ihr heulendes Kind zu ohrfeigen.

Ich betrachtete schweigend die Ereignisse am Familientisch. Ich zeigte meine Empörung über seine Verdächtigung, hielt sie jedoch in Grenzen, um dem Vater und der Witwe zu demonstrieren, daß trotz der Verleumdungen des Stiefbruders meine brüderliche Solidarität mit dem gründlich Gestraften ungebrochen und ich eher entsetzt als wütend, mehr bestürzt als rachsüchtig war. Und bis zum Ende des Abendessens schickte ich unübersehbar mitleidige Blicke zu dem verheulten Bastard.

Er war gebrochen. Ich hatte gesiegt. Er wußte, daß er nichts mehr gegen mich unternehmen konnte, da man ihm alles als Rachsucht auslegen würde und er weit mehr ein neues Unternehmen meinerseits zu fürchten hatte.

Überdies hatte er seine Vorzugsbehandlung eingebüßt. Vater mußte auf ihn, der sich vor den Augen seiner Mutter so widerwärtig und unbrüderlich verhalten hatte, künftig keine Rücksicht nehmen. Sein Privileg, der Sohn der umworbenen Witwe zu sein, hatte er verloren. Er war zurückgestuft worden auf meinen Stand, er durfte nun sogar von meinem Vater gestraft werden.

Mein kleines Spiel hatte die Verhältnisse in der ganzen Familie gründlich verändert. Die Witwe mußte sich nicht mehr unentwegt bei ihrem Sohn für ihre Verbindung mit meinem Vater entschuldigen und bei ihm um Verständnis für unsere Anwesenheit werben. Mein Vater konnte seine mich verärgernde Zurückhaltung gegenüber dem Bastard aufgeben und mußte nicht um seine Zuneigung buhlen. Der Bastard stellte notgedrungen seine Erpressungen ein, mit denen er die Witwe und meinen Vater fast täglich zu irgendwelchen kleinen Zugeständnissen genötigt hatte.

Und für mich hatte sich auch etwas verändert, ich

war nun uneingeschränkt das Älteste und Erste der Kinder, nicht mehr das aufgenommene Flüchtlingskind in der Familie. Doch dies interessierte mich wenig. Für mich war nur wichtig, daß ich das Spiel gewonnen hatte. (Für einen Vierzehnjährigen eine respektable Leistung, denn es erfordert Überwindung, so zu spielen, daß der Verdacht direkt auf einen selbst und nur – wenn der Ball sozusagen Bandenberührung hat – auf Umwegen auf das eigentliche Opfer zielt. Wären die Witwe und mein Vater fantasieloser gewesen, als ich vermutete, ich hätte mich selbst erledigt. Doch großen Gewinn gibt es nur bei großem Einsatz.) Ich konnte mich zurücklehnen und jene Befriedigung verspüren, die uns ein großes und gewonnenes Spiel bereitet. (Der Kitzel klingt ab, die Spannung läßt nach, und man atmet einmal tief durch. Kennen Sie das, Herr Kollege?)

Haben Sie je einen Spieler gesehen, der den Gewinn eines Spiels genießt? Bei einem wirklichen Spieler ist es nur eine Sekunde, der Bruchteil einer Sekunde, in der Sie etwas von seiner tiefen Befriedigung und Ruhe erkennen können. Dann wird sein Gesicht fast grau vor Erschöpfung und Müdigkeit und neuer Spannung. Der wahre Spieler weiß, daß sein Spiel zu keiner Zeit mehr gefährdet ist als in dem Moment, in dem er gewonnen hat. Das Glück macht leichtfertig, der Sieg ist unser aller Totengräber. Nicht der Verlierer, der Sieger ist dem totalen Ruin nahe. Sein Sieg verdeckt ihm den tödlichen Abgrund, er kann unmöglich erkennen, wo der befestigte Weg endet und abschüssig wird, übersät mit Steinen, die bei der leisesten Berührung ins Rollen kommen und alles mit sich reißen. Er sieht die Gefahr nicht, weil er gewonnen hat und hoch oben steht. Der Verlierer dagegen, dicht vor dem unumkehrbaren Aus stehend, sieht jede Schwierigkeit überdeutlich und wird jeden Schritt ruhig bedenken. Er hat verloren, das schützt ihn, denn Verlust schärft den Blick, anders als ein Sieg, der das Auge trübt.

Überhaupt ist das Verlieren nicht nur ein unvermeidlicher Bestandteil des Spiels, es ist sein eigentliches Gewürz. Der Sieg, das Gewinnen sind langweilig und hinterlassen eine fatale Leere, den Geschmack des Überdrusses und der Vergeblichkeit, denn es ist ein Ende und ein Ende ohne Reiz, da alles, was man erreichen kann, also auch der Sieg, in dem nie befriedigenden Bereich der eigenen Möglichkeiten liegt, der Verlust uns jedoch auf ein Feld weist, das uns noch nicht zugänglich war, und uns dadurch zwingt und anspornt und weitertreibt. Der drohende Untergang ist es, der den Spieler belebt und befeuert. In der Haltung des Verlierers zeigt sich der Spieler. Nur große Spieler werden nicht blind, wenn sie gewinnen, aber sie sind selten, Herr Fiarthes, sehr selten. Wie oft schon sah die Welt einen Napoleon?

Ich wollte Ihnen damit nur erklären, weshalb ich dem Stiefbruder nicht mit Triumph entgegentrat. Wie immer konnten ein einziger falscher Schritt und eine verräterische Geste mich um alles bringen. Es war nicht Großzügigkeit und auch nicht Hohn und Schadenfreude, es war etwas, was ich damals nur ahnte und was ich erst sehr viel später wirklich begriff und bewußt nutzen konnte. Etwas wie angebrachte Vorsicht. Aber daß bereits der Halbwüchsige eine Vorahnung der Gesetze des Spiels besaß, beweist, es gibt geborene Spieler.

Wir wohnten in der Wohnung der Witwe, einer Mietwohnung in einem Zweifamilienhaus, groß genug, daß ich eine Kammer für mich allein bekam, und doch nicht so groß, daß eine Einweisung von Flüchtlingen drohte. Vater ging jeden Morgen in sein Büro im Thüringer Briefmarkenversand, da die Witwe ihm die Geschäftsleitung übertragen und sich aus der Firma völlig zurückgezogen hatte, und wie damals in Stettin besuchte ich ihn und den Betrieb einmal in der Woche. Anfangs hatte ich die Hoffnung, mein Damenspiel von Schoko-Wör wieder aufnehmen zu können, da auch im Briefmarkenversand fast ausschließlich Frauen arbeiteten. Aber das war ein Irrtum. Sei es, weil ich inzwischen zu alt war, um noch das Engelshaar spielen zu können, sei es, daß ich nicht als Sohn des Chefs, sondern als Flüchtlingskind und Eindringling angesehen wurde, oder weil die beschäftigten Frauen allesamt glücklich verheiratet waren, im Thüringischen Briefmarkenversand gab es kein Bedürfnis, mich auf den Schoß zu ziehen, an die Brust zu drücken und weiterzureichen. Die Frauen saßen an langen Holztischen, sortierten Marken und fürchteten nichts mehr als einen Windzug, der ihnen die Arbeit einer Stunde zunichte machen konnte.

Um Vater nicht zu enttäuschen, stellte ich meine wöchentlichen Besuche nicht ein. Regelmäßig, nun an einem Donnerstagnachmittag, ging ich zu ihm und der Sekretärin. (Es war keine Frau Rupert. Weder hatte sie deren mütterliche Maße, noch teilte sie ihre Verehrung für meinen Vater. In den Augen der Briefmarken-Sekretärin war er nur ein pommerscher Hungerleider, Erbschleicher und Witwenschneider.)

Anschließend besuchte ich die Frauen im Versandraum, und da mir ihre Zuneigung versagt blieb, richtete ich mein Interesse auf die Briefmarken. Ich ließ mich von ihnen in die Welt dieser buntbedruckten Staatspapierchen führen, lernte es, mit Katalogen und Preislisten umzugehen, so daß ich bald der führende Philatelist auf dem Schulhof in Tiefenort und später, nach dem Schulwechsel in die Oberschule, in Bad Salzungen war. Mein Fachwissen war unbestritten, zumal ich gleichzeitig aus meiner offensichtlich unerschöpflichen Briefmarkensammlung diverse, auch kostbare Stücke anzubieten hatte. Ich nahm jede Bestellung entgegen und war fast immer in der Lage, das Gewünschte zu liefern, und stets für eine Vergütung, die deutlich unter den gültigen Listenpreisen und dem üblichen Marktwert lag. Beliebt waren bei meinen Kunden auch Überraschungscouverts, ein zugeklebter Briefumschlag mit einer Fülle von Marken, unter denen sich kaum wertvolle Stücke befanden, die aber besonders bei den Anfängern in dieser Sammelleidenschaft beliebt und gefragt waren, denn sie konnten mit ihrer Hilfe ihre Alben schnell füllen.

Zeitweise trug ich mich mit dem Plan, einen eigenen Briefmarkenversand zu eröffnen, ließ diesen Gedanken jedoch bald fallen. Der Aufbau eines landesweiten Versands stieß auf eine unüberwindliche Hürde, da ich nicht die Adresse unserer Wohnung als Geschäftsanschrift angeben konnte und das von mir erwogene Anmieten eines Postfaches der Unterschrift eines Erziehungsberechtigten bedurfte. Hier konnte ich weder auf Unterstützung meines Vaters noch auf Duldung und Hilfe der Witwe rechnen. Zweifellos hätten beide die Eröffnung eines zweiten Briefmarkenversands in Tiefenort als schwer erträgliche Konkurrenz angesehen, zumal sämtliche Marken, die ich bereits auf den Schulhöfen verkaufte, aus den Beständen des Thüringischen Briefmarkenversands stammten.

Ich beschied mich also mit dem Hand-zu-Hand-Verkauf, und meine Billigangebote waren in Tiefenort und Bad Salzungen so erfolgreich, daß die Direktion des

Thüringischen Muttergeschäftes (mein Vater und seine Witwe) sich bald veranlaßt sah, über die unsauberen Machenschaften eines unbekannten Konkurrenten zu klagen, der offenbar ohne Gewerbegenehmigung – denn die städtische Behörde konnte auf Anfrage meines Vaters keinen zweiten Briefmarkenhändler nennen – im Revier der altehrwürdigen Firma wilderte, gelegentlich aber auch über den verheerenden Kulturverfall in der Folge eines verlorenen Krieges, der eine so volkstümliche und volksbildende Freizeitbeschäftigung wie das Sammeln postalischer Wertzeichen in Vergessenheit geraten ließ und damit ein traditionelles Versandgeschäft existentiell bedrohte. Das Tiefenorter Konkurrenzunternehmen (ich und zum Teil der Bastard) hatte keinen Grund zur Klage, wenngleich die Beschränkung auf den heimatlichen Markt zu bedauern war. Den Stiefbruder hatte ich in mein Geschäft aufgenommen, da er anderenfalls die größte Gefährdung eines ungestörten Geschäftsverlaufs dargestellt hätte, er verbrachte schließlich seine Schulpausen auf demselben Hof und war dadurch Zeuge der Bestellannahme und Auslieferung.

Diese weniger gewünschte als erforderliche Partnerschaft erwies sich für mein Unternehmen schnell als lebensnotwendig. Nach dem Abschluß der Grundschule kam ich zur Oberschule in Bad Salzungen. Ich fuhr jeden Tag mit der Reichsbahn die wenigen Kilometer zum Schulort und kam häufig erst am späten Nachmittag oder auch Abend zurück. Der Thüringische Briefmarkenversand hatte dann bereits geschlossen, und ich konnte, um Bestellungen auszuführen oder meine Lagerbestände aufzufüllen, schwerlich meinen Vater um die Schlüssel zur Firma bitten, ohne eine meine Fantasie übersteigende Erklärung abzugeben.

Ich beauftragte daher den Bastard, die gewünschten Marken zu besorgen, nicht ohne ihn zu ermahnen, seinerseits nicht unmäßig zuzugreifen (er besaß seit meinem Schulwechsel das Monopol für den Pausenhof Tiefenort).

Drei Jahre später wurde der Thüringische Briefmarkenversand verstaatlicht und als Teil des zentralen ostdeutschen Versands weitergeführt, anfangs unter sowjetischer Aufsicht. Die Witwe verlor alle Ansprüche und wurde auch nicht mehr als Angestellte geführt wie zur Zeit der Direktion meines Vaters, der sie den Behörden aus steuerlichen Erwägungen als stellvertretende Geschäftsführerin angegeben hatte, wenngleich sie in der Firma nicht mehr tätig war. Mein Vater wurde als Geschäftsführer des nun volkseigenen Betriebsteils eingestellt, jedoch wurden seine Befugnisse stark eingeschränkt, er war nun dem von der Versandzentrale ernannten neuen Buchhalter rechenschaftspflichtig.

Die nach der Enteignung durchgeführte Inventur machte zwei bedeutsame Mängel des ehemaligen privaten Versands der Witwe deutlich. Zum einen fanden sich in den Beständen zu viele Briefmarken, die die antifaschistische und demokratische Erziehung der Kunden gefährdeten, doch zu wenig fortschrittliche Postwertzeichen der volksdemokratischen Länder und der Sowjetunion, was eine außerordentliche Gewerkschaftsversammlung mit allen Angestellten und der ehemaligen Besitzerin, der Witwe, erforderlich machte, um den Verdacht von Sabotage und Wühlarbeit gegen die neue staatliche Ordnung aufzuklären. (Da die Witwe und die Angestellten viel heulten, entschied man auf subjektives Versagen und mangelhaft ausgebildetes Bewußtsein. Deswegen war ein Schulungsprogramm für die Belegschaft unumgänglich, aber es kam nicht zu weiteren und drakonischeren Maßnahmen.)

Zum anderen erbrachte die Inventur einen hohen Minusbetrag. (Ich war darüber weniger verwundert als mein Vater und seine Witwe, da mein Konkurrenzunternehmen sich prächtig und auf Kosten des originalen Thüringischen Briefmarkenhandels entwickelt hatte. Meine Verkäufe entlasteten ihre Bestände, jedoch nicht ihr Bestandsverzeichnis, mein Gewinn erschien in meiner Hosentasche, aber in keiner Spalte ihrer Buchhaltung. Es hätte überdies wenig geholfen, da man der Bestandsaufnahme die offiziellen Listenpreise zugrunde legte und gewiß nicht berücksichtigen würde, daß der Bastard und ich auf den Schulhöfen mit erheblichem Preisnachlaß verkauften, eine unternehmerische Idee, die damals unüblich war und erst Jahre später mit der Einführung von Spartarifen branchenüblich wurde.)

Den Differenzbetrag erklärte mein Vater anfangs mit einem Verweis auf die Besuche der amerikanischen und später sowjetischen Offiziere und Soldaten. (Es gab, wie er sagte, erstaunlich viele Philatelisten unter den Angehörigen der Besatzungsmächte.) Der neue Buchhalter bat ihn, in der schriftlichen Darlegung sich auf eine der siegreichen Armeen zu beschränken (er stellte ihm frei, für welches Heer er sich entscheiden wolle, verwies ihn aber darauf, daß nur die Amerikaner sich aus Tiefenort zurückgezogen hätten) und alles Weitere unter der Rubrik Kriegsverluste abzubuchen. Das Gespräch fand unter vier Augen statt, und da mein Vater rasch begriff und für den Buchhalter nur schriftliche Berichte wahrnehmenswert waren, konnte Vater Geschäftsführer des Tiefenorter Betriebsteils bleiben, und keine Besatzungsmacht mußte einen neuerlichen Fall faschistischer Diffamierung ihrer Streitkräfte aufklären und den Schuldigen seiner gerechten Strafe zuführen.

Die Inventurdifferenz hatte für keinen der Beteiligten nachhaltig unangenehme Folgen, und der Bastard und ich teilten durchaus Vaters Erleichterung. Zudem hatte ich die Befriedigung, durch mein Konkurrenzunternehmen wesentliche Teile des Thüringischen Briefmarkenversands vor der Enteignung bewahrt und rechtzeitig für den Kreislauf privatwirtschaftlicher Unternehmungen gerettet zu haben. (Sabotage wurde in der sowjetischen Zone und der ihr folgenden Republik hart bestraft, so daß man mir ein heldenhaftes Verhalten kaum bestreiten wird, zumal ich noch auf die Jahre zuvor von mir vollbrachte Wehrkraftzersetzung verweisen kann.)

Meinen Versand betrieb ich – nach der Überführung des Besitzes meiner stillen Teilhaber und unwissenden Lieferanten – weiter und stellte ihn erst mit der erreichten Hochschulreife ein, als ich den Schulhof endgültig verließ und mir damit die natürliche Basis meines Geschäftslebens genommen war. Ich hätte für einen fortgesetzten Verkauf gewiß ein neues Territorium gewinnen können, die Mensa meiner künftigen Universität, aber ich hatte mich für das Studium der Jurisprudenz beworben und sah für die Zukunft die Möglichkeit einer Interessenkollision voraus. Überdies bemerkte ich eine Besonderheit des Geschäfts, die ich nur registrieren, aber nicht erklären konnte: mit dem Erreichen der Pubertät ließ das Kaufinteresse meiner Kunden nach, was den Handel auf dem Schulhof in Bad Salzungen bereits erheblich beschränkte und kaum für einen wirtschaftlichen Erfolg einer Filiale an der Universität gesprochen hätte.

Ich übergab dem Bastard das gesamte Geschäft, das

im wesentlichen aus einem kleinen Lager und einer Kundenkartei bestand, und ermahnte ihn nochmals eindringlich, nicht va banque zu spielen. So wie ich wußte, daß er den Handel nicht aus Spielleidenschaft, sondern aus mich langweilender Raffgier betrieb, ahnte ich auch die künftige Katastrophe und bemühte mich, die entsprechende Vorsorge zu treffen, um nicht von ihm in den Abgrund mitgerissen zu werden. Tatsächlich flog fünfzehn Monate später der zweite Thüringische Briefmarkenhandel auf, und da der Geschädigte ein volkseigener Betrieb war, für den der Gesetzgeber ein erhöhtes Schutzbedürfnis festgeschrieben hatte, war die Einweisung in eine Jugendstrafanstalt für den stiefbrüderlichen Dummkopf nur durch einen Glücksfall (der Jugendrichter war Philatelist und Vorzugskunde meines Vaters) zu umgehen.

Der unwiderrufliche Bruch mit der Familie aber war für ihn nicht aufhaltbar, und der Bastard beförderte ihn, indem er Vater und der Witwe gegenüber meine frühere Geschäftsbeteiligung erwähnte und mich als Anstifter und eigentlichen Gründer des zweiten Briefmarkenhandels der Stadt darzustellen suchte. Diese Behauptung bedurfte kaum meines schriftlich geäußerten Entsetzens (ich studierte bereits in Berlin und las die thüringischen Briefe stets mit einer gewissen Rührung, die weniger Heimweh als vielmehr dem Stolz des neuen Großstädters geschuldet war), um sich alsbald gegen den Stiefbruder zu richten. Ich hatte vorgesorgt.

(Überhaupt, verehrter Herr Kollege, zeichnen den wahren Spieler äußerst tugendvolle Eigenschaften aus. Er ist, wie gesagt, fast übertrieben vorsichtig, Schadenfreude ist ihm fremd, Geiz und Raffgier verachtet er und ist von vorzüglicher Hochachtung gegen jedermann. Er ist wohlwollend gegenüber dem Verlierer und wird nie einen Gegner herabsetzen, vielmehr um dessen Zuneigung sich bemühen. Er behandelt einen jeden wie sich selbst, und sich selbst verzeiht er keine Schwäche, verliert jedoch kein Wort darüber. All diese Eigenschaften sind nicht selbstlos, das Spiel gebietet sie. Und daß irgendwann der Stier abgestochen werden muß, geschieht nicht aus Blutgier oder Rachsucht, eine Spielregel erfordert dies.)

Ich hatte mich für Jurisprudenz entschieden und an der Leipziger Universität beworben, meine Bewerbung wurde jedoch abgelehnt. Vier Jahre zuvor war ich als Flüchtlingskind, Halbwaise und Sohn eines mittellosen Angestellten zum Besuch der Oberschule zugelassen worden. Nun war ich infolge vervollständigter Akten der Nachkomme eines ehemaligen Industriellen und somit nicht geeignet, Förderungen eines Arbeiter- und Bauernstaates zu genießen. Der Bescheid klang endgültig, und ich verabschiedete mich klaglos und ohne zu zögern. (Zwei Jahre später wurde mein Vater, inzwischen Geschäftsführer eines volkseigenen Betriebes und Mitglied der liberalen Partei, der Arbeiterklasse zugerechnet, so daß der adoptierte Bastard ohne jede Schwierigkeit oder Verzögerung sein Studium an einer Universität beginnen konnte. Es lebe das Leben.)

Ich entschied mich, im anderen Deutschland zu studieren. Mit der Reichsbahn fuhr ich nach Potsdam, stieg dort in die Stadtbahn, zeigte auf Verlangen der durch den Zug laufenden Polizeistreife meinen Ausweis vor und war bereits eine Stunde später in der Wohnung meines Großonkels Werner in der Wenckebachstraße im Westberliner Stadtteil Tempelhof.

Onkel Werner und seine Frau Ruth waren gebürtige Leipziger und wohnten seit zwanzig Jahren in Berlin, ohne ihren Dialekt auch nur um einen Deut aufgegeben zu haben. Sie waren beide Rentner und lebten in einer Zwei-Zimmer-Wohnung. Für vierzehn Tage konnte ich auf ihrem Küchensofa schlafen und hatte damit genügend Zeit, mich bei den städtischen Behörden zu melden, ein Gespräch mit der amerikanischen Besatzungsmacht zu führen, mich als Student der Rechte einschreiben zu lassen und mir ein Zimmer zu suchen. Beim Studentenwerk Ost beantragte ich ein Stipendium und bei der Evangelischen Kirche (meine Mutter war seinerzeit Mitglied des Kirchenbeirates ihrer Gemeinde in Stettin) eine Studienbeihilfe. Bis auf die Kirche, man gewährte mir dort lediglich fünfzig Mark Büchergeld pro Quartal, waren alle Behörden von meinem Schicksal beeindruckt und erwiesen sich als nächstenlieb und unterstützungswillig.

Im zweiten Studienjahr erhörte auch die Kirche meine Klage, und ich bekam in einem Schülerheim in der Kronberger Straße im Grunewald ein kostenfreies Zimmer. Für ein geringes Entgelt hatte ich am Nachmittag und Abend die Schüler zu beaufsichtigen. Täglich gab es eine Morgenandacht. Der Heimleiter, ein Pfarrer, achtete darauf, daß die pädagogischen Kräfte, zu denen auch ich zählte, an jeder Andacht teilnahmen, um beim Singen des Kirchenliedes die etwas muffligen Stimmen der Gymnasiasten durch ein leuchtendes und vor allem lautes Beispiel anzuspornen. Ansonsten war der Dienst erträglich. Ich übersah, was sich nur übersehen ließ, und die Schüler respektierten meine Haltung und dankten es mit Desinteresse an meiner täglichen Sprechstunde, so daß ich ungestört meinem Studium nachgehen konnte.

Der Heimleiter erlaubte Damenbesuch grundsätzlich nur in den Gemeinschaftsräumen und auch dort nur bis zwanzig Uhr. Da ich mich nicht benachteiligen lassen wollte – die Abiturienten hatten einen Anspruch auf Einzelzimmer, der ihnen je nach Schülerzahl auch zumeist erfüllt werden konnte, doch sie benutzten dieses Privileg weniger zur Verbesserung ihrer Noten in Griechisch und Latein als zu libidinösen Zwecken, was der das Haus leitende Pfarrer übersah, da er nur Erziehern wie mir solche Gelüste unterstellte und die Zimmer der Abiturienten weniger oft kontrollierte –, kam es gelegentlich zu lautstarken, aber folgenlosen Auseinandersetzungen. Ich blieb der kleinen Vorteile wegen (freies Essen und Logis, beständiges Repetieren der Kirchenlieder, gute Gegend) bis zum Ende des Studiums im Schülerheim wohnen.

Der Wirtschafterin, einem Fräulein Ende Dreißig, hatte ich meine Hilfe angeboten. Ich erledigte für sie die Bestellungen des Schülerheims. Denn außer tiefgelbem Schnittkäse und Milchpulver, die aus Spendenpaketen der amerikanischen Kirche stammten und die zentnerweise im Vorratsraum der Küche lagerten und mehr nachgefüllt als verbraucht wurden (seit dieser Zeit habe ich nie wieder Milchpulver angerührt oder jenen allzu schnittfesten, wagenradgroßen Käse, dessen Geschmack den Verdacht erweckte, ihm sei Lebertran oder ein Anti-Karies-Wirkstoff beigemischt), waren die Lebensmittel von der Wirtschafterin selbst einzukaufen. Da diese Bestellungen in beträchtlichen Mengen erfolgten und das Fräulein diesen Umstand für sich nicht nutzte, übernahm ich diesen Teil ihrer Arbeit. Sie war mir, nichts ahnend, dankbar, und ich genoß ihr Wohlwollen (sie besaß den Schlüssel des Vorratsraums).

Die Bestellungen teilte ich auf, trat mit verschiedenen Geschäften in Verbindung, ließ mir Angebote machen und gab bei den Gesprächen mit den jeweiligen Geschäftsführern zu erkennen, daß ein persönlicher Bonus im Bereich des mir Denkbaren liege. Man verstand, und wir wurden einig, kaum zum Schaden des Schülerheims, aber durchaus zum beträchtlichen Vorteil eines jungen Studierenden.

Ansonsten war ich mit dem Studium beschäftigt. Es interessierte mich, denn ich lernte ein neues Spiel kennen, das ich, um es erfolgreich spielen zu können, makellos beherrschen mußte. Es war ein aufwendiges und regelreiches Spiel, aber eben dadurch anziehend. Ich spürte, daß ich mich richtig entschieden hatte. Die Zukunft versprach, mich nicht zu langweilen.

Einmal besuchte ich Vater und die Witwe in Tiefenort. Der Bastard hatte gerade die Schule abgeschlossen und war nach Leipzig umgezogen, um dort im Herbst ein Studium der Geschichte zu beginnen. Ich wollte mich für eine Woche bei ihnen einquartieren, dann mit der Bahn über die Zonengrenze fahren und nach Italien trampen. Doch nach wenigen Stunden im väterlichen oder vielmehr im Witwen-Haus entschied ich, in drei Tagen weiterzureisen. Aber ich blieb den ganzen Sommer über und noch bis in den Oktober hinein in Tiefenort, da ich bereits vierundzwanzig Stunden nach meiner Ankunft verhaftet wurde, angeklagt des illegalen Verlassens der Republik. Zwei Tage später wurde ich entlassen mit der Auflage, vorerst Tiefenort nicht zu verlassen und mich jeden zweiten Tag auf dem Polizeirevier zu melden. Zur Unterstützung dieses Wunsches und als Erinnerungshilfe für mich wurde mir mein Personalausweis abgenommen. Stattdessen erhielt ich ein Faltblatt mit Paßfoto und der schriftlichen Aufenthaltsbeschränkung. Und obgleich ich die ganze Zeit über mit nichts anderem beschäftigt war, als einen Weg zu finden, um in das Schülerheim im Grunewald zu gelangen und mein Studium fortzusetzen, dauerte es vier Monate, ehe ich über die grüne Grenze in die Rhön gelangte und von Frankfurt aus mit dem Flugzeug nach Westberlin zurückkehren konnte.

In der Zeit meines erzwungenen Heimataufenthalts sah ich den Bastard kein einziges Mal. Er hatte sich an der Leipziger Universität verpflichtet oder verpflichten müssen, mit seinem republikflüchtigen Stiefbruder keinen Kontakt aufzunehmen. Und obwohl ich in jenem Sommer nicht mehr republikflüchtig war (eher republikhaftig), kam er in diesen Monaten nicht nach Hause. Ich verübelte es ihm nicht, ich verstand ihn.

Mein Verhältnis zur Witwe gestaltete sich in jenen Monaten der unfreiwilligen Heimkehr schwierig. Es gab Spannungen zwischen uns, die ich nicht mehr abzubauen mich bemühte. Sie begriff oder ahnte, was ihr passiert war. Sie hatte ihren Sohn verloren, und instinktiv wandte sie sich gegen mich, ohne wissen zu können, daß ich tatsächlich der Urheber dieser Entzweiung war.

Im Oktober war ich in Berlin und nahm das Studium wieder auf. Ich erhielt auch meinen Freiplatz im Schülerheim zurück. Tiefenort besuchte ich nie wieder.

Über das Studium, verehrter Herr Kollege, will ich keine Worte verlieren. Sie ließen sich ein Jahr nach mir immatrikulieren und wissen daher über alles Bescheid. Ich war, wie Sie sich gewiß erinnern, ein vorzüglicher Student (es war noch jene Zeit, in der Professoren wie Studenten sich einen Namen allein durch fachliche Leistungen und nicht durch politische Reden machen konnten), wurde überall und durchaus gebührend hervorgehoben, und es verstand sich von selbst, daß ich unmittelbar nach dem Studium promovierte. Daß ich danach die Universität verließ und die mir angebotene wissenschaftliche Laufbahn ausschlug, erregte damals bei meinem Professor Unverständnis. Mein Interesse an dem Studium aber hatte den Regeln des Spiels gegolten. Und nun wollte ich spielen und nicht an der Verbesserung der Regeln arbeiten.

Wir verloren uns für einige Zeit aus den Augen, lieber Herr Fiarthes. Ich ging nach Boppard, einer netten Kleinstadt im Rheinland.

Drei Jahre zuvor waren mein Vater und die Witwe dorthin übergesiedelt (gleichfalls republikflüchtig), und es war ihnen in kürzester Zeit gelungen, einen florierenden Versandhandel für Zierdecken – Lochstikkereien, Musterdecken zum Selbststicken – ins Leben zu rufen. Beide hatten erhebliche Wiedergutmachungs-Zahlungen erhalten, da beide große Verluste beklagten, eine Fabrik in Stettin, einen enteigneten Versandhandel in Tiefenort. Frau Rupert (noch ihre zyankalihaltige Asche sei gesegnet) hatte vor Kriegsende alle notwendigen Papiere zusammengestellt und Vater in einem der Schoko-Wör-Pakete mitgegeben. Nach diesem Beispiel waren die Unterlagen des Thüringischen Briefmarkenversands ausgewählt und über die Grenze gebracht worden, so daß den zuständigen Behörden im Rheinland ein lückenloser Beweis des verlorenen und des enteigneten Besitzes vorgelegt werden konnte. Die Behörde, entzückt über so viel Umsicht und Vollständigkeit der Akten, beeilte sich, meinem Vater und seiner Witwe das ihnen zustehende Geld zu überweisen.

Sie konnten dadurch ihr bescheiden begonnenes Geschäft schnell erweitern, und eine in Handarbeit erzogene Nation tat das Ihre, dieses neue Mitglied des Mittelstandes zu fördern und wachsen zu lassen. Die Arbeit in den Trümmern der bombardierten Städte, die zahlreichen Entbehrungen der Nachkriegsjahre wie der entstehende kleine Wohlstand ließen Wünsche aufkommen, denen die Versanddeckchen meines Vaters und der Witwe – mit leichtverständlicher Anleitung für ein fantasievolles Besticken nach beiliegenden Vorlagen – entgegenkamen.

Ich war nicht überrascht, als sich Vater aus dem Rheinland meldete. Bei meinem letzten, unfreiwillig verlängerten Besuch in Tiefenort hatte er sich bei mir nach den möglichen rechtlichen Folgen seiner Eheschließung für die Ansprüche auf Entschädigung für durch Krieg und Enteignung verlorenes Eigentum erkundigt. Ich war damals zwar sehr unsicher, denn mir waren keine diesbezüglichen Gesetze bekannt, dennoch mißbilligte ich als Jurist die bereits erfolgte Eheschließung (was die Witwe ärgerte), indem ich auf mehrere Bestimmungen und Urteile verwies, die gültige Ansprüche nach erneuter Eheschließung angeblich reduzierten (was Vater, aber auch die Witwe schreckte). Ihre Übersiedlung nach Westdeutschland hatte ich seit diesem Tag erwartet.

Ich war unsicher, wie sich der Bastard entscheiden würde. Aus der Familie verstoßen, konnte er wenig gewinnen, wenn er mit seiner Mutter ging. Freilich mußte er auch verlieren, wenn er im östlichen Deutschland blieb, denn da seine Angehörigen illegal den Staat verlassen hatten, würde sich der Unmut und das Mißtrauen der Staatsbehörden erfahrungsgemäß auf den Zurückbleibenden konzentrieren. Ich spielte, noch bevor Vater und die Witwe mit ihren Dokumenten sich ins Rheinland absetzten, die Partie des Stiefbruders mehrfach durch und fand keine Variante für ihn, in der ihm nicht Verlust drohte. Wie immer er sich entscheiden würde, er mußte der Verlierer sein.

Er entschloß sich, in Leipzig zu bleiben, mußte aber daraufhin jeden Kontakt mit der Familie abbrechen, die Flucht der Witwe, meines Vaters und seines Stiefbruders aus der ostdeutschen Republik verurteilen und durch verstärkte Willfährigkeit versuchen, den Makel zu löschen. Nun hatte sich der Bastard selbst gegen die Familie ausgesprochen. Der Bruch mit ihm war endgültig und wurde mit altertümlich wirkenden Formulierungen in entsprechenden Briefen der Witwe an ihren Sohn festgeschrieben. Sie hatte sich mit ihrem Schicksal abgefunden, daß ich es sein würde, der den Rheinischen Textilversand Wörle sowie alle verbleibenden Reste der Ausgleichszahlungen für eine Stettiner Schokoladenfabrik und einen Thüringischen Briefmarkenversand erben würde. (Für den Verlust meines eigenen Briefmarkenhandels in Tiefenort und Umgebung hatte ich, selbstlos und opferwillig, die staatlichen Behörden um keinerlei Entschädigung gebeten). Sie fand sich damit ab, was bedeutete, daß sie mich gelegentlich heftig umarmte und mich ein andermal, wenn sie die Erinnerung an ihren eigenen Sohn übermannte, mit vergleichbarer Heftigkeit zurückstieß. Ich war, als einziger in der Familie mit dem gesamten Spiel vertraut, stets voll Verständnis für die Witwe. Und wie immer sie mich empfing, welche Gefühle sie auch bewegten, wenn sie mich sah, ich begegnete ihr aufmerksam und fast liebevoll, ganz wie ein Sohn, der seine Mutter trifft. Schließlich gewann ich ihre unablässige Zuneigung, da ich der einzige noch zur Verfügung stehende Erbe und so durch eine Nabelschnur mit ihrem Besitz verbunden war.

Ich war nach Boppard gegangen, denn ich wollte in einer kleinen Anwaltskanzlei arbeiten, um bald eine eigene zu eröffnen, und in Berlin fehlten mir jene gewissen Verbindungen, die den Einstieg in einen freien Beruf etwas angenehmer und leichter machen. Ich war nach Boppard gegangen, weil ich von der reichen Saat des mittelständischen Unternehmens meines Vaters und seiner Witwe etwas ernten wollte.

Vater war erfreut, daß ich nach den Jahren unserer Trennung zu ihm zog. Er hatte sehr zurückhaltend bei mir angefragt, ob ich nicht erwägen wolle, nach dem Studium Berlin zu verlassen, um in seiner neuen Heimatstadt zu leben. Wahrscheinlich überraschte es ihn, daß ich zusagte, auf jeden Fall schmeichelte es meinem alten Herrn. Der Briefwechsel zwischen ihm und mir wurde reger. Er wollte vorsorgen, daß ich meine Entscheidung nicht rückgängig machte, und besorgte mir, während ich noch in Berlin an meiner Doktorarbeit saß, eine Wohnung in Boppard und sprach bei den wenigen niedergelassenen Rechtsanwälten vor, um zu erkunden, welche Kanzlei für mich besonders vorteilhaft wäre.

Ich ging sehr gern nach Boppard. Nach den Hungerjahren in Berlin (gewiß, ich habe dort nie gehungert, aber ich haßte den harten, gelben, endlosen Care-Käse) und den kleinen Mißlichkeiten (ein Quartier mit Haus-Pfarrer und täglicher Morgenandacht) genoß ich es, umsorgt zu werden, und akzeptierte alles, was mein Vater für mich arrangiert hatte.

Die Kanzlei (Dres. Wieser, ein Herr über sechzig, mit einem verstorbenen Bruder als noch immer aufgeführtem Sozius; er besaß den Ruf, untadelig zu sein, was in einer Kleinstadt viel über sein Wohnhaus, seinen Vorgarten, seine Kleidung und Manieren aussagt und fast nichts über seine Moral und die fachliche Fähigkeit als Anwalt) war im Erdgeschoß einer Villa in der Rheinbabenallee eingerichtet, vier Räume mit schweren Möbeln (Modelltyp Anwaltskanzlei Kleinstadt) und zwei Sekretärinnen (gleiches Modell) bestückt.

Die linke Hand von Dres. Wieser, sein Mädchen für alles, war Herr Konrad, ein Mann Ende Dreißig mit acht Semestern Jus. Sein Studium hatte er in den letzten Kriegsmonaten abbrechen müssen, um den Vormarsch der Amerikaner aufzuhalten, und später nicht fortgesetzt, da sein gescheiterter Versuch, das Kriegsglück zu wenden, ihn für zwei Jahre in ein Gefangenenlager gebracht hatte. Die von ihm erworbenen Scheine der Universität waren nur noch bedingt brauchbar, da die Zeitungen vermeldeten, daß mit den neuen Herren ein neues Recht geschrieben und gelehrt werde. Herr Konrad ließ sich von diesen Ankündigungen von einer Fortführung seines Studiums abhalten, obwohl ihm sein gesunder Menschenverstand hätte sagen müssen, daß diese Androhung mangels Personals undurchführbar war, zumal ein ganzer Berufsstand sich so entschieden und einmütig wie schließlich erfolgreich gegen den Vorwurf verwahrte, das Recht gebeugt zu haben. Doch nach der Heimkehr aus dem Kriegsgefangenencamp verlobte er sich umgehend, zeugte ein Kind und benötigte Geld, so daß er sich als Assistent in Dres. Wiesers Kanzlei einstellen ließ. Der Mann war ein Glücksfall, auch für mich. Natürlich war er unterwürfig, ein Schleimer, leicht zu kränken, schadenfroh und rachsüchtig, schließlich merkte er, daß Wieser und ich seine fachlichen Fähigkeiten nutzten, ohne daß er in diesem und jedem anderen Büro je das Ansehen und Gehalt eines Akademikers beanspruchen konnte. Aber gerade deshalb war er auch umsichtig und übergenau, zuverlässig und gelegentlich mit nahezu genialen Einfällen gesegnet. Im Grunde wollte er uns zeigen, daß er der bessere Anwalt sei, und da kein Beweis zu einer Veränderung seiner Stellung führen konnte, blieb ihm nichts anderes übrig, als die Beweise weiterzuliefern und sich damit zu einem wirklich wertvollen, unentbehrlichen Mitarbeiter zu machen.

Ich erwähne diesen Menschen, weil ich dank Dres. Wieser eine für mich nützliche Entdeckung machte. Ich habe, seit ich selbständig arbeite, stets einen solchen Herrn Konrad beschäftigt. (Zur Nachahmung sehr empfohlen, verehrter Herr Kollege, denn ich bemerkte doch, wie Sie vor Jahresfrist in meinem Büro von dem penetranten und besserwisserischen Gehabe meiner Herren Haller und Fiedler irritiert und belästigt waren und wohl auch an meiner Menschenkenntnis und Büroführung zweifelten. Aber Haller und Fiedler, meine stets unzufriedenen und wachsamen Getreuen, sind meine derzeitigen Herren Konrad. Die Verdoppelung steigert den gewünschten Effekt.)

Ich will Sie nicht aufhalten und beeile mich.

Boppard ist eine Kleinstadt. Mehr ist über diese drei Jahre nicht zu sagen. Die Fälle waren Kleinstadt, die Kunden, die abendlichen Vergnügungen. Ich verließ die Stadt, als jeder Reiz nur noch eine Wiederholung war und ich Gefahr lief, mich einzurichten.

Es gab zudem sehr persönliche Gründe. Vergessen Sie nicht, ich war jung und stellte eine sogenannte gute Partie dar, und in jenen Jahren begann eben die inzwischen üblich gewordene Firmenpolitik, Juristen in Vorstände zu holen. Die Folge war, daß auch die autarken Firmenchefs des Mittelstands sich für Anwälte zu interessieren begannen, wenn es sich um die Wahl eines Schwiegersohns handelte und ein kapitalbringender Erbe eines anderen Unternehmens für die Geschäftsleitung nicht in Sicht war.

Ich hatte eine zweijährige Berliner Geschichte mit

einer jungen Witwe leise auslaufen lassen: zuletzt ein paar Briefe in größer werdenden Abständen, schließlich die mich erleichternde Meldung, man sei dabei, wieder zu heiraten. Ich teilte ihr meine Erschütterung und meinen Glückwunsch mit und strich im Adreßbuch ihren Namen aus. Andere Liaisons hatte ich ruhenlassen, ohne sie zu beenden, denn ich ahnte, daß ich nach Berlin zurückkehren würde, und ich scheute seit meiner Kindheit lange und einsame Winterabende.

In Boppard gab es zwei Affären, aber ich will Sie damit nicht langweilen, da sie nichts mit meinem Fall zu tun haben. Ich erwähne sie nur, weil es in einer Kleinstadt schwierig ist, eine Beziehung zu beenden und im gleichen Ort eine neue zu beginnen, wenn man zu den besseren Kreisen zählt, zwangsläufig auch die Eltern des Mädchens kennenlernen muß und dadurch alles recht offiziell wird. Gehen Sie mit einem solchen gehobenen Kleinstadtmädchen dreimal spazieren, und Sie sind verlobt. Beim wiederholten Besuch der Eltern fallen gewisse Andeutungen (die Mama will unbedingt auf die Wange geküßt werden, der Herr Papa bittet für eine halbe Stunde in sein Arbeitszimmer, um Geschäftliches zu besprechen, und eröffnet Ihnen, wo seine vor der Steuer verheimlichten Gelder angelegt sind), und irgendwann haben Sie nur noch die Wahl, um die Hand zu bitten oder Fersengeld zu geben.

Es wird heute sicher alles anders sein, auch in Boppard, aber damals wurde mir sogar von Dres. Wieser der Kopf gewaschen. Er ermahnte mich, meine Beziehungen zu den jungen Damen der Gesellschaft honett und und mit Pflichtgefühl zu knüpfen. Ich zeigte mich zerknirscht und versprach ihm, Ordnung in mein Privatleben zu bringen. (Wir waren beide unaufrichtig, er mehr als ich. Er war besorgt um seine Klientel, denn das erste Mädchen war die Tochter eines Arztes und Mandanten von uns, das zweite kam aus einer landesweit bekannten Gewürzsaucen-Firma, gleichfalls unser Mandant. Verlassene Bräute sind, wie der alte Herr bemerkte, keine Empfehlung für eine Kanzlei. Ich verzichtete, ihn darauf hinzuweisen, daß die verlassene erste Braut immerhin in der Ablaßgasse wohne, sondern nickte nur, denn ich hatte mich längst entschieden zu gehen, war also durchaus bereit, etwas zu ordnen.)

Ich hatte das Gefühl, mein Handwerk zu beherrschen. Es waren zumeist Bagatellen, an denen ich mich bei dem alten Wieser erproben konnte, aber als vorbereitende Übung hatten sie für mich ihren Zweck erfüllt. Mehr konnte ich in Boppard nicht leisten, mehr konnte Dres. Wieser nicht für mich tun. Die Vorstellung, mit sorgfältig abgestützten, gut aufgebauten und dabei noch glänzenden Plädoyers ein Gericht zu beeindrucken, hatte ich bald begraben müssen. Solche Auftritte konnte sich ein anreisender und berühmter Anwalt leisten, bei mir, dem einheimischen Kanzleimitarbeiter, wären sie als Marotte eines Frischlings gewertet worden und hätten letztlich meinen Mandanten geschadet. Es herrschte Hausmannskost vor, und es gab zwischen den Verteidigern, Staatsanwälten und Richtern ein fast familiäres Verhältnis. Man war aufeinander eingespielt, wußte im voraus, was jeder vorbringen würde, man kannte die Struktur der Reden, die Lieblingszitate, selbst den bevorzugten Satzbau. Einander keine Überraschungen zuzumuten schien eine unausgesprochene Übereinkunft zu sein, und Dres. Wieser war ein anerkannter und bevorzugter Anwalt, da er bei Gericht weniger durch seine Taktik und Gedankenschärfe überzeugte, als durch sein hohes Alter und die durch jahrzehntelange Ortsansässigkeit erlangte Reputation. Natürlich hatte ich bei verschiedenen Gerichten zu tun, aber der vertraute Hauch, dieser Stallgeruch von bornierter Gemütlichkeit, war überall zu spüren. Ein Bouquet aus Gleichmut und arroganter Selbstbeherrschung, eine Mischung aus der Würde unseres Berufsstands, die um jeden Preis zu verteidigen war, und der ebenso heiligen Mittagspause der Staatsbeamten, die man den Herren Kollegen der Gegenseite nicht grundlos verkürzte.

Ein wenig Erfolg, der meinen Namen in die Zeitung brachte, hatte ich. Durch eine plötzlich notwendig gewordenen Operation war der alte Herr Wieser verhindert, den Prozeß eines seiner geschätztesten Klienten – einer größeren Fabrik für Baustoffe in der dritten Generation, durch Geburtenbeschränkung und gut beratene Testamente in bester Verfassung – bis zum Ende zu führen. Daß Herr Wieser mir den mehrtägigen Prozeß überlassen mußte, beunruhigte ihn so sehr, daß der Operationstermin wegen seines instabilen Kreislaufs um zwei Tage verschoben wurde. Ich bereitete mich gründlich wie nie auf diese Verhandlung vor, und ich war vorzüglich. Ich war sarkastisch und kühl und mit allen Fakten immer wohlversehen, und ich gewann einen für uns nicht allzu aussichtsreichen Prozeß.

Es war der wichtigste Prozeß zu Beginn meiner Karriere, und ich war noch sehr jung, aber doch nicht so jung, um nicht zu wissen, daß nicht ich diesen Prozeß gewann. Alles entscheidend war der höchstpersönliche Auftritt der dritten Generation.

Zu den beiden letzten Verhandlungstagen kam der von der Pflicht zum Erscheinen entbundene Firmenchef selbst, eine gepflegte, distinguierte Erscheinung. Er war dem Gericht und auch mir gegenüber von großer Zuvorkommenheit, saß ruhig auf seinem Platz und verfolgte den Gang der Verhandlung interessiert, aber ohne jede innere Beteiligung. Trotz der früher erfolgten Befragung durch einen Beauftragten des Gerichts ersuchte der Richter um eine zusätzliche Befragung. Der Firmenchef war dabei hilfreich und machte keinen Versuch, etwas zu vertuschen, abzustreiten oder auch nur zu beschönigen. Ganz im Gegenteil, er zeigte sich kooperativ, erläuterte Zusammenhänge und Hintergründe und konnte dem Richter ein gewisses Verständnis der verwickelten Import- und Exportgeschäfte vermitteln. Beeindruckend war jedoch weniger das, was er sagte, er überzeugte durch sein Benehmen, seine Manieren, durch seine gepflegte Zurückhaltung. Er wirkte müde, ohne den Eindruck zu erwecken, er sei nicht hellwach. Den Kopf hielt er leicht gesenkt, was aber keinen demütigen, eher einen kontemplativen Eindruck machte, als sei er in Gedanken und – während er der Verhandlung bedachtsam folgte – gleichzeitig mit gewichtigen Entscheidungen befaßt, die, seinem Gesichtsausdruck nach zu urteilen, Höherem galten als dem Wohl und Wehe seiner Baustofffirma. Er zeigte sich unbeteiligt, aber nicht gelangweilt. Er ruhte in sich und sah selten auf. Wurde ein neuer Zeuge gerufen, warf er einen kurzen Blick auf ihn, um dann wieder seine Fingernägel zu betrachten und seinen Reflexionen nachzuhängen. Bei ihn beschuldigenden oder kränkenden Aussagen gab es nicht das geringste Anzeichen einer gesteigerten Aufmerksamkeit oder gar einer Verärgerung. Er schien der Verhandlung mit einem stillen Wohlwollen zu folgen, gleichzeitig bemüht, sich aus dem Streit herauszuhalten, um nicht sein fortwährendes Gespräch mit Gott stören zu lassen. Es war eine freundliche Gleichgültigkeit, die keineswegs unhöflich oder verletzend wirkte. Er war alles in allem und noch in der kleinsten

Bewegung seiner Hand die Verkörperung der dritten Generation der Firma, und eher der hohe Würdenträger einer Kirche als ein Geschäftsmann und Angeklagter.

Ich weiß nicht, ob er intelligent oder bloß schlau war. Diese Frage stellte sich mir nicht, sie war überflüssig. Eine solche Frage ist gegenstandslos und absurd angesichts einer ungewöhnlich schönen Frau oder eines sehr reichen Mannes.

Schöne Frauen und reiche Männer habe ich immer geliebt, sie faszinieren mich. Sie haben eine Aura, eine Ausstrahlung, die mich erregt. Ich will nicht mit jeder dieser Frauen schlafen. Und Männer interessieren mich sexuell überhaupt nicht, aber auch sie wirken anziehend auf mich und haben bis jetzt nichts von ihrem Magnetismus verloren. Allenfalls müssen die Frauen heute etwas jünger sein und die Männer etwas reicher, denn älter geworden bin ich selbst, und ein bißchen Geld habe ich auch. Was mich für sie einnahm und noch immer gefangennimmt, ist dieses Parfüm der Schönheit. Und auch Geld hat dieses Aroma. Das ist etwas anderes als das, was man den Geruch des Geldes nennt, jenes Aroma von Macht und Einfluß, diesen leicht penetranten und stechenden Gestank, weil in ihm sich Habgier und Geiz, Bereicherung und Neid mischen. Nein, ich spreche von dem Duft der Schönheit, dén das Geld auch besitzen kann und der auf eine andere und sehr sinnliche Art seinen Besitzer für uns anziehend macht. Und wenn wir die Schönheit einer Frau ganz direkt bewundern und loben, so sprechen wir von diesem Aroma des Geldes in Andeutungen. Ein Mann von Kultur, sagen wir beispielsweise und meinen diese Schönheit, diesen Duft, den wir an ihm bemerken.

Mein Klient, den mir Dres. Wiesers Operation beschert hatte, gefiel mir außerordentlich. Auch der Staatsanwalt und der Richter waren für diese Aura empfänglich.

Der Staatsanwalt hielt sein Plädoyer und änderte gewiß nichts an der vorbereiteten Rede. Er sagte, was er zu sagen sich vorgenommen und ausgearbeitet hatte, aber in Anwesenheit meines Mandanten, ausgesetzt dieser faszinierenden Ausstrahlung einer Fabrik in der dritten Generation, erhielten seine Worte einen anderen Glanz, einen Schimmer jener Eleganz, die er in meinem Mandanten vor sich verkörpert sah. Er klagte ihn an, gewiß, er sprach ihn schuldig, machte ihm moralische Vorwürfe und forderte abschließend, ihn sowohl zu einer hohen Geldstrafe wie auch einer Gefängnisstrafe auf Bewährung zu verurteilen. Aber der Zauber meines Mandanten, der Brodem dieses großen Reichtums, erweckte im Staatsanwalt den dringenden Wunsch zu beweisen, daß er seinesgleichen sei, daß auch er ein Mann von Kultur, und wenn auch nicht von gleicher Größe, so doch ihm näher als den im Saal sitzenden Pressevertretern und Prozeßbeobachtern. Und kein einziges Mal wies der Staatsanwalt mit ausgestrecktem Zeigefinger auf meinen Mandanten. Diese dumme Unsitte unterließ er, was mir zeigte, daß er um die Unverschämtheit dieser Geste wußte, mit der er so reichlich seine Reden zu würzen pflegte.

Die Reaktion des Staatsanwalts irritierte mich nicht, sie überraschte mich nicht einmal. Unsicher war ich, wie der Richter reagieren würde, ein verhältnismäßig junger, aber grämlicher Mann (Gastritis oder schwere Kindheit), der es liebte, die Verhandlungen so zu führen, daß weder aus seinen Bemerkungen während des Prozesses noch aus seinem Verhalten irgendwelche Schlüsse auf sein Urteil zu ziehen waren. Ich hatte das

Gefühl, daß mein Mandant dem Richter unsympathisch war. Er haßte diesen wohlhabenden Mann, seine Ausstrahlung, sein selbstsicheres Auftreten, seinen Charme, weil er selbst von alledem nichts besaß. Selbst die gepflegte Müdigkeit des Firmenchefs schien ihn zu nerven. Ich konstatierte für mich einen Fall von Sozialneid, verständlich, wenn man auch nur einen Moment an die Bezüge eines jungen Richters mit Gastritis und schwerer Kindheit denkt und sie in Vergleich zum Jahreseinkommen eines Fabrikanten der dritten Generation setzt. Überflüssigerweise betonte der Richter, daß er meinen Mandanten nicht anders behandeln würde als jeden Beklagten und sein unerwartetes Erscheinen vor Gericht in keiner Weise zu honorieren gedenke (und behandelte ihn schon dadurch anders und honorierte sein Erscheinen).

Wenn es bei dem Richter tatsächlich eine Veränderung in der Prozeßführung seit dem Erscheinen meines Mandanten gegeben hatte, dann allenfalls die, daß er etwas schroffer als zuvor wirkte. Ich war gespannt, wie dieser kaum merkliche Wechsel sich bemerkbar machen und welchen Einfluß er schließlich auf die Urteilsfindung haben würde. Ich war gewiß, daß der Richter durch das überraschende und nicht erforderliche Erscheinen meines Mandanten verwirrt war, daß er diese verführerische Suggestion bemerkt hatte und daher versuchte, sich dagegen zu wehren. Er wirkte mir gegenüber leicht ungehalten, unterbrach mich häufig, interessierte sich augenscheinlich weit mehr für den Staatsanwalt und dessen Zwischenbemerkungen als für meine Ausführungen. Der Richter roch das Aroma des Geldes und reagierte mit unverhohlenem Ekel darauf, während er gleichzeitig sich darum bemühte, diese Reaktion zu unterdrücken oder doch zu verstecken, indem er sich verstärkt dem Staatsanwalt zuwandte, um der Aura meines Mandanten zu entgehen.

Sein Urteil, da war ich sicher, würde von dem lasziven Duft des Geldes beeinflußt werden. Der Duft war zu betörend und schwer. Sehr schwer, denn es war sehr viel Geld. Für den magenkranken Richter unvorstellbar viel. Gewiß schien ihm ein besonders hartes Urteil, eine Strafe an der möglichen Obergrenze, anfangs der sicherste Beweis seiner Unvoreingenommenheit. Und zweifellos war er intelligent genug, um im gleichen Moment auch zu wissen, daß dieser Beweis ebenso und vielleicht noch deutlicher das genaue Gegenteil belegen würde, jedenfalls für ihn selbst. Für die Öffentlichkeit war er ohnehin gescheitert; was immer er schließlich verkünden würde, ein Teil der Presse würde ihn für befangen erklären, dem Neid der unteren Volksschichten und ihren Ideologen nachgebend oder der Macht des Kapitals sich fügend. Ich wußte nicht, wie er sich entscheiden würde. Es war ein offenes Rennen, und er kämpfte mit sich. Doch er spürte die Bezauberung und würde daher mit seinem Urteil immer unzufrieden bleiben. Falls seine Trübsinnigkeit Magengeschwüren geschuldet war, er würde eins hinzubekommen.

Der Richter blieb unter dem Antrag des Staatsanwalts, und dieser quittierte es mit einem leichten Stirnrunzeln, was weniger Befremden oder Unverständnis signalisierte als Nachdenklichkeit und ein stilles Erwägen der Gründe für das verkündete Urteil. Er verzichtete auf Berufung. Stattdessen näherte er sich sehr zurückhaltend nach dem Ende der Verhandlung meinem Mandanten, um sich ihm persönlich vorzustellen und mit ihm und mir ein paar Worte über den leidigen, aber gottlob beigelegten Streit zu wechseln (alles unter strikter Beachtung seiner Pflichten und Auflagen im Umgang mit Beklagten). Er gratulierte mir, lobte mein Plädoyer und äußerte, daß er neidlos sich diesmal geschlagen geben müsse und nur auf eine Revanche hoffen könne. Und um vor meinem Mandanten kein Mißverständnis aufkommen zu lassen, fügte er unnötigerweise noch hinzu, er meine selbstverständlich, in einem anderen Prozeß, der ihn und mich wieder zusammenbringe.

Der Firmenchef erwiderte nichts. Er verließ schweigend das Gericht. Ich begleitete ihn zu seinem Wagen. Bevor der Fahrer die Tür zuschlagen konnte, gab er mir zum Abschied die Hand und bestellte Grüße und Besserungswünsche für Wieser. Mit keinem Wort erwähnte er den eben beendeten Prozeß. Er bedankte sich nicht bei mir, er zeigte nicht die geringste Geste einer Anerkennung meiner Arbeit. Für einen Moment ärgerte ich mich, aber ich verstand, daß auch er, die dritte Generation, wußte, wer diesen Prozeß eigentlich gewonnen hatte, und daß er mir oder vielmehr Dres. Wieser nichts schulde außer dem Anwaltshonorar, ich hingegen meinen Sieg und das mit diesem Prozeß zweifelsfrei erworbene Ansehen allein ihm, seinem Erscheinen, seinem Parfüm verdanke, dem Duft seines Geldes. Ich war es, der sich hätte bedanken müssen. Und ich ahnte, daß auch er ein Spieler war, da er – wenn er auch selbst einen solchen Vergleich weit von sich gewiesen und lächerlich gefunden hätte – meinesgleichen war.

Vergnügt winkte ich nach einem Taxi, um zu Herrn Wieser ins Krankenhaus zu fahren und ihm Bericht zu erstatten. Er war zufrieden mit mir, er lobte mich auf eine geradezu übertriebene Weise, und mir dämmerte, daß auch er seine fabelhaften Erfolge in Boppard und

Umgebung weniger seiner Eloquenz und seinem Verhandlungsgeschick verdankte als der Aura seiner Mandanten. In diesem Moment wußte ich, daß ich seine Kanzlei bald verlassen würde, denn mir war klar, daß ich bei ihm noch diesen oder jenen interessanten Fall auf den Tisch bekäme, aber daß er mir nie wieder – jedenfalls nicht freiwilig – einen Mandanten überlassen würde, mit dem ich nur gewinnen, bei dem selbst eine Verurteilung ein bemerkenswerter Sieg für den Anwalt sein konnte und dem Ansehen zuträglich.

Fünf Monate später verließ ich Boppard und ging nach Berlin zurück. Mein Vater, bisher zuversichtlich, daß ich mich in seiner neuen Heimatstadt niederlassen würde, hatte mir eine größere Summe zugesagt für den Fall, daß ich mich selbständig machen wolle, sowie die Vermittlung eines zinsgünstigen Kredits seiner Bank. Ich nahm beides in Anspruch, als ich meine erste Kanzlei in der Miquelstraße in Berlin-Schmargendorf einrichtete und eröffnete.

Vater war schockiert, als ich ihm mitteilte, daß ich Boppard verlassen würde, aber meine Gründe überzeugten ihn vollauf. Er verstand, daß ich bei Wieser nicht weiterkam und andrerseits die Großstadt brauchte, um mir einen Namen zu machen, und daß ich zu ehrgeizig war, um mich mit einer ruhigen Provinzkanzlei abzufinden (von dem Spieler, der an die großen Tische wollte, sagte ich nichts).

Mit seinen guten Wünschen versehen (und seinem gutem Geld), stieg ich in ein Flugzeug nach Berlin. Mit der Bahn oder dem Auto durch die russische Zone zu reisen, wagte ich nicht, da mir der andere deutsche Staat mein Weggehen verübelt hatte und noch immer danach trachtete, mich wieder einzubürgern (seltsame Anhänglichkeit einer Behörde). Es dauerte trotz meiner

Vorbereitung in Boppard noch sechs Wochen, bis ich das Anwaltsbüro eröffnen konnte. Dres. Wiesers beste Sekretärin hatte ich abgeworben. Ihr Interesse für die Großstadt Berlin und für mich nutzend (und unter Beachtung der damals gültigen Bestimmungen für gebrochene Eheversprechen), hatte ich sie bewogen, mit mir zu kommen, denn ich hatte die kleinstädtischen Tugenden für das Vorzimmer schätzengelernt.

Die Eröffnung meiner Anwaltskanzlei (wie es auf der Einladung hieß, denn im Oktober 1960 war Berlin noch nicht so weltläufig wie heute und wußte nichts von House-Warming-Parties) war erwartungsgemäß nicht stark besucht. Dres. Wieser hatte ich eingeladen, aber er sandte mir nur ein kühl gehaltenes Glückwunschtelegramm. Von den eingeladenen Kommilitonen war nur ein Mädchen erschienen, das bei der Staatsanwaltschaft den mühseligen Weg einer Beamtenlaufbahn eingeschlagen hatte, ohne in den vergangenen Jahren nennenswerte Erfolge verzeichnen zu können. Die Eröffnung blieb en famille, und ich ahnte, daß ich ein neues Spiel begonnen hatte mit ungewissem Ausgang. Mein Vater und die Witwe waren gekommen, begutachteten ausführlich die Räume und die Ausstattung (sie sahen sich ihr Geld an) und schienen zufrieden zu sein. Die erschienenen Freunde versicherten, während sie rasch das kalte Buffet verzehrten, ausgewählt für einen verwöhnten Gaumen (für meine wohlhabende Klientel, die ich an diesem Abend und noch ein paar Monate lang vermissen mußte), sich stets nur an mich wenden zu wollen, wann immer sie einen Anwalt benötigten. Ich lächelte und nickte, und ich wußte, der Start würde schwerer sein, als ich befürchtet hatte.

Als alle gegangen waren – Vater und seine Witwe wohnten in einer Pension am Roseneck, in der er schon während meiner Studienzeit bei seinen Besuchen aus Tiefenort Quartier genommen hatte – und ich mit Karen, der Sekretärin, die Gläser und Teller wegräumte, war ich so voll Selbstmitleid, daß ich mich mit ihr aufs Sofa setzte, ein Glas Wein mit ihr trank und sie schließlich an mich zog und küßte. Und wäre nicht in der letzten Sekunde der Spieler in mir erwacht, ich hätte mit ihr geschlafen, verzweifelt wie ich war (eine geschäftliche Katastrophe, denn ich hätte sie sofort entlassen müssen, um nicht ein Opfer meiner Launen oder meiner Sekretärin zu werden). Ich ermahnte mich rechtzeitig, und anstatt das von ihr Erwartete vorzuschlagen, nämlich zusammen ins Bett zu gehen, erklärte ich ihr einfühlsam, daß dieser Eröffnungsparty wenig Erfolg beschieden war und es wohl ein erstes und gewiß schwieriges Jahr für uns geben werde und ich, um uns nicht beide zu ruinieren, ihr vorschlage, sich eine zweite Arbeitsstelle zu suchen und bei mir nur halbtags zu arbeiten. Ich küßte ihr dabei die Fingerspitzen, was es ihr erleichterte, auf meinen Vorschlag einzugehen und ihn insofern zu verbessern, als sie sich bereit erklärte, ganztägig für das halbe Gehalt zu arbeiten.

Ein halbes Jahr später konnte ich sie bezahlen, wie wir es in Boppard vereinbart hatten. Ich war über den Berg. Karen war noch immer unverheiratet, und das sollte sie, soweit es an mir lag, auch bleiben. (Unverheiratet, doch verliebt, was ihrem Fleiß zuträglich war und die Wahrheit des Lehrsatzes bezeugte, daß man, solange man lebt, von Gefahr umgeben ist.)

Weitere drei Jahre später konnte ich in der Nähe meines ersten Büros die Räume für eine größere Kanzlei in der Rheinbabenallee kaufen (keine Hommage an Dres. Wieser, lediglich ein günstiges Angebot). Ich stellte Herrn Barthel ein, der durch ein abgebrochenes

Jurastudium für mich die vorzüglichste Empfehlung besaß (er war mein erster Herr Konrad, Sie erinnern sich).

Es waren aufregende Jahre für einen Spieler, aber ich will Sie damit nicht langweilen, Herr Kollege. Sie haben Ähnliches erlebt, auch Sie kennen den Reiz oder das Unglück (Menschen empfinden erstaunlicherweise Gleiches verschieden) der ersten Jahre. Meine erste von Krediten, Schulden und der Steuer ungekränkte Million hatte ich am 7. Februar 1967 beisammen. Ich erinnere mich genau an dieses Datum. Nicht aus Stolz oder Eitelkeit, sondern weil die Mitteilung des Bankbeamten mit dem Tod von Bernhard Bagnall in einem ursächlichen Zusammenhang steht.

An jenem Tag beherrschte mich ein Gefühl der Beschämung und einer beunruhigenden Verzweiflung, das schließlich in Depressionen mündete. Der Vorgang ist kaum zu erklären, aber ich will Ihnen als meinem Verteidiger die gesamte Fallgeschichte aufdecken und kann daher diesen Tag mit der so folgenreichen Nachricht nicht übergehen. Und ich hoffe, mich Ihnen verständlich machen zu können.

Natürlich hatte und habe ich Spaß an meiner Arbeit, und auch wenn Sie eine völlig andere Auffassung von unserem Beruf haben, werden Sie nachempfinden können, daß es für einen Spieler kaum ein besseres Feld gibt, um sich sein Brot (ein sehr altväterlicher Begriff) zu verdienen. Denn eben die Haltung des Spielers, des leidenschaftlichen und gleichzeitig leidenschaftslosen Spielers, ist in unserem Beruf gefragt und macht die Fortune aus, seine Leidenschaft gilt allein dem Reiz des Spiels. Dem Kitzel, gefährdet zu sein, ist er verfallen. Er will ein ungewisses Glück zwingen, nicht das Schicksal, obgleich diese voneinander abhängig sind.

Er will setzen und natürlich gewinnen, doch der Gewinn selbst ist für ihn nur von Interesse, um erneut setzen zu können. Das macht unseren Beruf für ihn so anziehend. Unsere Aufgabe ist es zu spielen, mit dem Einsatz und dem Gewinn werden wir uns nicht behelligen. Wir haben große Spiele, langjährige Partien, in denen wir Vermögen und Menschen einsetzen können. Wie Feldherren können wir Strategien planen und verwirklichen, sobald wir die Vollmacht für unseren Schlachtentwurf erhalten haben. Alles ein Spiel, und um so unbeschwerter, je unbehelligter wir von Besitz, Zuneigung und Engagement in den Kampf gehen. Es ist ein fremder Einsatz, und es ist fremder Verlust und Gewinn, nur das Spiel gehört uns. Gelegentlich wird ein Anwalt es bedauern, nur für fremde Taschen zu arbeiten, aber der Spieler weiß, daß ihn diese Trennung befreit und beflügelt. Ein so großer Spieler wie Napoleon, ich bin sicher, er muß das Geld und die Armeen seiner Nation stets mit Distanz angesehen haben. Es war nicht sein Geld, und es waren natürlich nicht seine Soldaten, die ihm für sein Spiel zur Verfügung standen. Nichts verband ihn mit dem Einsatz, den er auf sein Spielbrett Europa warf, denn er mußte allein und durch keinerlei Rücksichten gebunden sein, um so heiter und unbekümmert spielen zu können, majestätisch und erfolgreich.

Ein Spieler ist der, der setzt. Vielleicht ist das die ganze Wahrheit. Er setzt sein Geld, seinen Ruf, seinen Verstand, sein Leben, aber ebenso unbeschwert und gewiß viel sorgloser und dadurch erfolgreicher das Geld und das Leben der anderen. Wohlgemerkt, all das setzt er, aber er setzt es nicht ein. Den kleinen Unterschied gilt es zu beachten, dies nämlich trennt den Spieler von allen anderen, von den Wahnsinnigen und Engagierten,

73

von Aufklärern und Karrieristen, von Geschäftsdirektoren und von Gaunern, von den sogenannten normalen Menschen. Diese setzen etwas ein, um etwas anderes, für sie etwas Größeres und Schöneres, zu erreichen.

Der Spieler setzt, mehr nicht. Der Gewinn und der Verlust sind außerhalb seines Blickfelds, sie interessieren ihn nicht oder doch nur im Verhältnis zum Setzen selbst. Nicht aber zum Einsatz, Herr Kollege. Auch wenn die Unterschiede Sie langweilen und verwirren, ich muß Sie bitten, meinen Erläuterungen zu folgen, wenn Sie auch nur etwas von dem Vorgefallenen begreifen und sich nicht mit den griffigen Erklärungen der Medien zufriedengeben wollen.

Die Begriffe sind bedauerlicherweise sehr durcheinander. Leute, die geradezu das Gegenteil eines Spielers sind, werden als Spieler bezeichnet, nur weil sie sich auf eine banale Art zu bereichern suchen. Denn alles, was im Alltag als Spiel angeboten wird, vom kleinen Betrüger auf der Straße bis zu den staatlich lizenzierten Lotterien, sind keine Spiele, sondern lediglich mehr oder weniger skurrile Auswüchse unseres Wirtschaftslebens, garniert mit einem lächerlichen Schleier des wirklichen Spiels, um anziehender zu wirken. Aber diese vorgeblichen Spiele sind aus den abgedroschensten Gesetzen der Ökonomie entwickelt und ihnen unterworfen, wenn sie nicht pure Gaunerstücke sind. Kein wahrer Spieler wird an einen Spieltisch gehen oder ein Los einer Lotterie kaufen. Ein Spieler will setzen, um zu spielen, der Gewinn langweilt ihn bereits. Und ein Spiel, in dem er nicht eingreifen kann, wo allein der Einsatz gefragt ist, aber nicht das Setzen, ist nur eine Gelegenheit, Bestellungen mit ungewissem Anschaffungswert zu notieren. Diese sogenannten Spiele sind bestenfalls übliche bürgerliche Kaufverträge, deren überaus schlechte Geschäftsbedingungen durch Glamour verdeckt werden müssen. Die Chancen in diesen falschen Spielen, in denen der kleinen Straßenganoven oder in den staatlich lizenzierten, einen Gewinn zu machen, sind überhaupt nicht vorhanden. Die Aussichten auf einen Hauptgewinn sind gleich groß, ob man den Einsatz setzt oder nicht. Derjenige, der ein Los kauft, hat, mathematisch gesehen, die gleiche Chance auf den Hauptgewinn, wie jener, der das Los nicht kauft. Der tatsächliche Unterschied erscheint erst so viele Stellen hinter dem Komma, daß man ihn getrost vernachlässigen kann, und zwar sowohl in der Theorie wie in der Praxis. Sie können also Lottomillionär werden, gleichgültig, ob sie Lotto spielen oder nicht. Es bedarf einiger Schizophrenie, um bei diesem staatlich geförderten und erwünschten Raub sich nicht in Deckung zu bringen, sondern freiwillig und sogar begeistert das Geld in die Tasche des Räubers zu deponieren. Nehmen wir zur Ehre des Menschengeschlechts an, daß es nur nicht rechnen kann oder daß es, um der Idee des Staates und der staatlichen Besteuerung zu huldigen, zusätzliche und freiwillige Abgaben entrichtet.

Vollkommen logisch dagegen ist es, daß der Staat gegen unerwünschte Konkurrenz mit der ihm gegebenen Gewalt vorgeht und gegen die (von ihm nicht lizenzierten) Spielmacher auf der Straße, die übrigens den Passanten durchaus keine schlechteren Gewinnchancen einräumen (wie könnten sie auch, da all diese Chancen in der Nähe von Null liegen), die Polizei einsetzt. Der Staat ist dazu verpflichtet, weil die Ganoven der Straße sein Monopol mißachten. Diese Glücksspiele sind ein Geschäft wie jedes andere, dessen Markt genau errechnet ist. Da ich auch in diesem Bereich als Berater tätig war (vor einem Jahrzehnt, als Beauftragter des Landes, das seine Einnahmen zu verbessern suchte), weiß ich, daß die Möglichkeiten von Markterweiterungen hier fast erschöpft sind. Es sind nur noch sechs oder sieben Prozent jenes Geldvolumens frei und durch ein zu verbesserndes Marketing zu erfassen, das die Bevölkerung für Glückspiele zu opfern bereit ist. Für die ersten fünfzig Prozent benötigt man kaum ungewöhnliche Ideen, hier reichen traditionelle Angebote aus. Die Konzeptionen für den Markt verlangen aber auch in diesem Geschäft aufwendige und kreative Angebote, je mehr ich mich seinen natürlichen Grenzen nähere. Um das Volumen völlig auszuschöpfen, also auch jene errechneten fünf Prozent in die Hand zu bekommen, bedarf es einer besonders glanzvollen Verpackung dieser Staatseinnahme. An dieses letzte Geld zu gelangen, bedarf es der Fantasie eines Künstlers.

Nein, hier wird nicht gespielt. Hier stehen sich nirgends Spieler gegenüber, sondern lediglich Gewinner und Verlierer. Die Rollenaufteilung ist festgeschrieben. Stets wird derselbe gewinnen, und verlieren wird, der immer verliert. Die Aufklärung des Menschengeschlechts war eine Fantasterei von Burschen, die die Welt nicht kennen. Wie will man Menschen aufklären, denen man ihr Geld, das sie höher als ihre Gesundheit achten und besser als ihren Augapfel schützen, mit einem simplen Rechentrick aus der Tasche ziehen kann. Sie können noch ein paar weitere Gedanken daran hängen, aber sprechen Sie nicht von Spiel und Spielern. Das sind Tricks, das sind Gauner und Betrogene, über die wir kein Wort verlieren sollten.

Die Scham, von der ich sprach, als ich meine erste Million auf den Konten angesammelt hatte, war die

Scham des Spielers. Ich war einem Irrtum erlegen, den ich zu spät bemerkte. Ich hatte jahrelang mit einer falschen Prämisse gearbeitet, die nun meine Partie sinnlos machte. Ich hatte geglaubt zu spielen, und der wechselnde Gewinn unterstützte meinen Irrtum, doch das anwachsende Vermögen war immer weniger Ergebnis eines Spiels. Je länger ich in dem Beruf tätig war, je erfolgreicher ich wurde, um so ungefährdeter wurden die Erfolge. Und selbst die seltenen Mißerfolge konnten mich nicht wirklich gefährden. Ein Verlust, der mich wieder in den unschuldigen Anfang und den Stand eines Spielers zurückbrachte, war mir verwehrt. Die versammelte Million bewies mir, daß das Spiel längst vorbei war. Ich hatte gewonnen, und alles, was ich jetzt noch in meinem Beruf unternahm, würde lediglich den Gewinn vergrößern. Ich war in der aussichtslosen Situation eines Mannes, der nur noch am Casinotisch sitzen bleiben mußte, um laufend Gewinne einstreichen zu können. Aus einem, wie ich mir schmeichle, begabten Spieler drohte ein Banker zu werden. Können Sie mein Entsetzen angesichts dieser Entdeckung verstehen?

Natürlich durfte ich mir als Anwalt keine Fehler leisten und mußte nach Möglichkeit weiter erfolgreich sein, aber das auch nur zu erwähnen, ist überflüssig. Ehrgeizig sind nicht nur Spieler. Spielen heißt nicht viel mehr, als die größtmögliche Perfektion zu erreichen. In diesem Sinn ist auch ein Sportler ein Spieler. Er tritt an, um zu gewinnen, aber der Sieg selbst hat keinen Wert für ihn, denn dieser schreibt etwas fest, was im nächsten Moment erneut auf dem Spiel steht.

Alles, was ich Ihnen zu sagen versuche, ist, daß ich anfing mich zu langweilen. Ich hatte bereits einige Jahre zuvor, als ich mein beunruhigend stetig wachsendes Konto bemerkte, begonnen, mit dem Geld zu spielen. Ich ließ mich von einem Anlageberater über vier Monate von dem Geldgeschäft unterrichten, denn ich versprach mir einen Reiz, der meine entstehende Unlust besänftigen konnte. Es war eine Enttäuschung, denn dieser abstrakte Markt ist ein stupides Geschäft, bei dem man keineswegs, wie ich hoffte, spielen, sondern sich lediglich bereichern kann. Diese Unternehmungen können etwas Befriedigung verschaffen, sie sind jedoch auch entwürdigend langweilig. Der Spaß daran verging schneller, als ich vermutet hatte. Durch Übung gewonnene Routine und die Banalität der Bewegungen dieses Marktes lassen das spielerische Moment dieses Geschäfts schnell verenden. Was ich als kleinen Nervenkitzel begonnen hatte, entwickelte sich rasch zu einer üblichen und langweilenden Form der Geldvermehrung. Ich hätte gewagtere Operationen eingehen können, bei denen ich höher gewinnen und sicherer verlieren würde, aber dem widersprach der Spieler in mir. Spieler sind seriöse Naturen. Mit Sicherheit zu gewinnen oder zu verlieren ist für sie in gleicher Weise abstoßend. In dem einen Fall ist er lediglich ein Gewinner, anderenfalls nur ein Narr. Ich strebte natürlich danach, auch hier perfekt zu sein, und der Selbstlauf dieser Finanzoperationen mußte, durch Erfahrungen geschult und optimale Berater, schließlich geradezu dazu führen, nur noch Spekulationen einzugehen, die eine Strategie erlaubten und ein wenig Unterhaltung. Doch ich begann die Regeln zu beherrschen, und im gleichen Moment begann mich das Spiel zu ermüden. Es wurde nun lediglich zu einem Geschäft mit einer mich langweilenden Sicherheit.

Da mir weder mein Beruf noch Freizeitvergnügungen

wie diese Geldgeschäfte einen ausreichenden Spaß verschaffen konnten – und ich benötige etwas mehr als die Aussicht, Geld zu verdienen, und sei es auch viel Geld, um mich aus dem Bett zu erheben –, entschloß ich mich, die bisherige Arbeit meiner Kanzlei einzuschränken und einige Veränderungen in meinem Leben vorzunehmen. Es waren keine Entscheidungen, die direkt zu dem führten, was Sie, verehrter Herr Kollege, meine unbegreifliche Tat zu nennen pflegen. (Wie ich Ihnen bereits mehrfach in unseren Gesprächen sagte, ist die genaue Bezeichung des Vorgefallenen das Wort: unerläßliche Tötung. Ihre feine Umschreibung, Herr Fiarthes, ist mehrdeutig und falsch und nur durch den Wunsch erklärbar und verständlich, mich nicht zu verletzen. Die Titel, mit denen ich und die Tat in der Presse versehen werden, sind unsinnig und dienen weder dem Verständnis noch der Aufklärung. Es sind simple Vereinfachungen, der Klientel dieser Blätter geschuldet und in dem üblichen moralisierenden Ton dieser Biedermänner gehalten, die eine ihnen unbegreifliche Welt mit dem Kategoriensystem ihrer Glaubensartikel überziehen, um sie erfassen zu können. Zudem ist das Wort Mord griffig und eine Bezeichnung wie Mörder oder tragisches Geschehen eine für sie ausreichende Erklärung eines ihnen nicht verständlichen und wohl nicht zugänglichen Vorgangs. Mord und Mörder, selbst diese Worte verletzen mich nicht, sie belustigen mich eher, verraten sie doch eine große Hilflosigkeit. Mich erinnern sie an den Schrecken und die Sprachlosigkeit, die Europa überfallen haben müssen, als es zum ersten Mal die mongolischen Reiter erblickte, schreckliche und furchterregende Pferdemenschen. Man wird vor Angst auch von diesen Abenteurern mit unsinnigen und schauerlichen Worten gesprochen haben.)

Zu jener Zeit, da ich meine berufliche Veränderung beschloß, war ich Strafverteidiger und besaß, wie ich mich wohl rühmen darf, einen gewissen Ruf. Ich muß Sie, Verehrtester, nicht über meinen beruflichen Werdegang informieren. Ich denke doch, Sie sind, zumal wir uns seit langem kennen, hinreichend unterrichtet und aus eigener Erfahrung in der Lage, sich meine alltägliche Praxis vorzustellen. Jedes Wort darüber wäre ein Wort zu viel und müßte Sie kränken. Meine etwas spektakuläreren Fälle werden Ihnen ohnehin bekannt sein, so daß Sie den Erläuterungen über mein spielerisches Interesse leicht folgen können, ohne daß ich daran erinnern muß.

Möglicherweise verstehen Sie nachträglich einige meiner früheren Strategien, wenn Sie davon ausgehen, daß ich mich weniger von den Interessen meiner Klienten als den eigenen, also denen des Spiels, leiten ließ. Ich mache Ihnen dieses Geständnis ohne jede Verlegenheit, und ich denke, Sie sind mit mir inzwischen vertraut genug, um nicht die Nase zu rümpfen oder entsetzt zu sein, zumal mein Interesse sich im Grunde nie gegen meine Klienten richtete. Denn es ergaben sich dadurch gelegentlich kompliziertere Spielzüge, die aber in Wahrheit meinen Mandanten immer zum Vorteil gereichten. Das schließlich erzielte Ergebnis wäre gewiß leichter und schneller zu haben gewesen, aber weniger glanzvoll und erregend für mich. Denn alles, was ich zusätzlich und gewissermaßen nur für mich tat, war, daß ich mir selbst den Erfolg erschwerte, um eine interessantere Partie spielen zu können. Ihnen muß ich nichts von der Langweile der Gerichtssäle und Akten erzählen, von stupiden Staatsanwälten, die sich in nichts von Postbeamten unterscheiden, und von Richtern mit dem Witz moralisierender Kindergärtnerinnen. Sie werden folglich Verständnis für mich aufbringen, wenn ich, und nur um mich nicht zu langweilen – und ein im Gericht schlafender Verteidiger ist ein unschöner Anblick, auch wenn wir beide dafür größtes Verständnis aufbringen – und sofern es irgendwie zulässig war, in die Strategie meiner Verteidigung gern überraschende und scheinbar fern liegende Stufen einbaute, um letzlich noch genauer zum Ziel zu gelangen. Auch ein Billardspieler läßt den direkten und leichten Weg gern außer acht, nur um den Ball über zwei weitere Banden laufen lassen zu können. Natürlich will auch er gewinnen, aber vor allem will er spielen, gut spielen, elegant spielen. Wenn der Ball die Tasche verfehlt, ist alles umsonst und das schönste Spiel vernichtet, aber eine erreichte Tasche und ein dummer Stoß sind auch ein unschöner Anblick. Der Billardspieler wird daher nicht weniger Ehrgeiz in das Erreichen des Ziels setzen als jene, die lediglich zu gewinnen trachten, aber auch er wird den entscheidenden Punkt nicht verfehlen.

Meinen Mandanten entstand kein Schaden, vielmehr hatten sie – ob sie es zu würdigen wußten oder nicht – das zusätzliche Vergnügen, einem scheinbar riskanten und um so sichereren Lauf meiner Argumente zu folgen. Von einer Pflichtverletzung kann also keinesfalls gesprochen werden.

Doch die trotz allem unvermeidliche Routine unseres schönen Berufes hatte für mich das Spiel weitgehend zerstört, und der Versuch, ein beständig wachsendes Konto selbst aufs Spiel zu setzen, um die anregende Zeit des Beginns meiner Karriere neu zu erzeugen, war gescheitert, da mit dem Geld lediglich trübe und mich entsetzlich langweilende Bankgeschäfte zu machen waren. Der Gedanke, daß das Spiel und damit mein Leben beendet waren, verursachte mir Depressionen. Die Vor-

Vorstellung, dennoch weiterzumachen, bereitete mir körperliche Schmerzen. Ich saß tagelang in meinem Büro, unfähig, meine Arbeit zu erledigen, aber auch ohne die Kraft aufzubringen, das zu liquidieren, was mich lähmte. Und ich begriff, daß das Spiel für mich weit mehr als nur eine Leidenschaft war. Das Spiel ist der Mittelpunkt meines Lebens, mein Leben selbst. Ich würde mich eher erschießen (Russisches Roulette vermutlich), als darauf zu verzichten.

Als schließlich mein Sozius, Herr Brederle, mich auf meinen Zustand ansprach, den ich offensichtlich nicht mehr verbergen konnte, deutete ich ihm meine Lebenskrise an. Er drängte mich, sofort Urlaub zu machen, und wir regelten in wenigen Tagen all jenes, was er in meiner Abwesenheit zu übernehmen hatte. Ich hatte, dank seiner Unterstützung, den ganzen März frei und fuhr nach Kampen. Ostern war noch weit, und die Hamburger und Berliner Ferienwohnungen standen leer, das Leben auf der Insel war noch wie im Winterschlaf. Überhaupt ist mir Sylt im frühen Frühjahr und im späten Herbst am liebsten. Ich besitze, wie Sie wissen, in Kampen ein winziges Reihenhäuschen. (Die einzige Immobilie – von meiner Villa im Norden der Toscana und der Berliner Kanzlei abgesehen –, da mich der Immobilienmarkt langweilt. Auch nur eine stupide Art von Wertzuwachs, allenfalls geeignet für Rentiers oder Gründer von Familiendynastien.) Das Haus wird das Jahr über von einem Inselfaktotum betreut, das davon lebt, einmal wöchentlich durch leerstehende Ferienhäuser zu gehen und nach dem Rechten zu sehen. Ich hatte den Mann, zwei Tage bevor ich auf die Insel fuhr, angerufen, damit er die Heizung aufdreht.

Das Haus hat drei Zimmer, eine Schlafkammer, eine

kleine, aber gut ausgestattete Küche und Bad und Toilette. Es ist ausreichend, wenn auch sparsam möbliert, gewissermaßen einbruchsgerecht. Bei diesen selten genutzten Häusern sollte man immer damit rechnen, daß ein paar Langfinger oder jugendliche Vandalen einbrechen, und um den möglichen Schaden und vor allem Ärger in einem solchen Fall gering zu halten, hatte ich mich in Sylt wie in Italien für eine eher spartanische Möblierung entschieden. Der einzige Luxus in Sylt war ein Billardtisch, der das größte Zimmer bestimmte; hier stehen nur noch ein kleines Tischchen mit Intarsien und zwei auf der Insel erworbene Stühle, Bauernbarock. Das Zimmer soll durch nichts Überflüssiges entweiht werden. Und so gibt es an den Wänden, außer der notwendigen Ablage für Queues und Kreide und einer Schiefertafel, die ich aus einer alten Dorfschule in der Nähe von Boppard gerettet hatte, kein Bild und keinen Schmuck. Der Raum ist meine Klosterzelle. Hier erhole ich mich, aber vor allem ziehe ich mich hierher zurück, um nachzudenken, um Entscheidungen durchzuspielen und um Stöße und Ballläufe zu berechnen. Hier kann ich vom Aufstehen bis zum späten Abend um den Tisch laufen, um die Bälle gehen zu lassen und dabei jenes andere Spiel zu machen, jenes in meinem Kopf, welches ich dann, nach Berlin zurückgekehrt, nur noch auszuführen habe. Die ganze Zeit, die ich auf der Insel verbringe, spiele ich. Mittags und abends verlasse ich für zwei Stunden den Tisch, um irgendwohin essen zu fahren und längere Zeit an einem einsamen Strand spazierenzugehen. Von diesen kleinen Unterbrechungen abgesehen, nehme ich die Insel nicht weiter wahr. Ich fahre häufig bis nach Westerland und Keitum, nach Rantum und Hörnum, aber das sind zielgerichtete Fahrten, bei denen mich nicht die Landschaft und das Meer locken, mich führt allein mein Appetit dahin, der Abwechslung sucht.

Gelegentliche Besucher in meinem Haus – nach Möglichkeit vermeide ich sie und lade Gäste in eine der Gaststätten ein – bekommen mein Billardzimmer nicht zu sehen. Es ist dann stets verschlossen, und ich murmle etwas von einem Arbeitszimmer, um weiteres Interesse abzuwehren. Obgleich ich Wert darauf lege, stets allein nach Kampen zu fahren, war es in den Jahren, in denen ich länger mit einer Frau zusammen lebte, nicht zu vermeiden, sie an die Nordsee mitzunehmen, so daß vielleicht vier oder fünf Frauen mein Refugium samt Billardzimmer kennen. Aber die Sylt-Reisen mit einer Frau empfand ich als belästigend, die Frauen erschienen mir wie Eindringlinge, und jedesmal brach ich den Aufenthalt ab, da der eigentliche Zweck meiner Fahrt mir nicht erreichbar war. Später wurden meine Beziehungen zu Frauen wieder sporadischer, angelegt auf Willkommen und Abschied wie in meinen Studienjahren, und für mich wurde es problemlos, allein auf die Insel zu fahren.

Gewiß, man kann ein Haus auf einer Nordseeinsel anders nutzen, aber ich will es nicht, und ich will auch keinem Menschen dazu eine Erklärung abgeben müssen. Vielleicht bin ich in diesem Punkt überempfindlich, weil Billardspielen zu meiner Intimsphäre gehört, über die ich nicht sprechen, die ich nicht offenbaren will. Sozusagen meine kleine Perversion.

Im letzten Jahr meiner Tätigkeit für Dres. Wieser hatte ich einen Geschäftsmann kennengelernt, der aus mir nicht begreiflichen Gründen ein besonderes Vertrauen zu mir faßte und mir seine heimliche Leidenschaft gestand und vorführte. Der Mann war verheiratet, glücklich verheiratet, wie er sagte und was auch immer dies bedeuten mag. In seinem Büro gab es einen mannshohen und sehr breiten Schubladenschrank, wie ihn Grafiksammler besitzen. Die Schubläden waren klein und flach, so daß in dem großen Schrank eine Vielzahl von Schüben steckte. Bei meinem ersten Besuch fiel mir das Möbelstück auf, ich lobte die Handwerksarbeit und die Beschläge und sagte ihm, wie außerordentlich mir der Schrank gefalle.

Erst sehr viel später, nach einem von mir für ihn gewonnenen Prozeß und weiteren geschäftlichen Besprechungen, die, wie es in unserem Beruf unumgänglich ist, eine durchaus private Färbung bekamen, offenbarte er mir das Geheimnis seines Prunkstückes. Er hatte den Schrank nach eigenen Zeichnungen anfertigen und mit einem raffinierten Schließsystem versehen lassen, das es erlaubte, die mehr als hundert Schubfächer mit einem einzigen, seitlich angebrachten Schloß zu verschließen. Mein Geschäftsmann war in gehobener Stimmung, wir hatten ein Glas Wein getrunken, und er hatte in distanziert-ironischer Art von seiner Frau und deren Familie gesprochen, ohne im geringsten anzüglich oder gar indiskret zu werden.

Plötzlich fragte er mich, ob er mir etwas an sich Vertrauliches sagen dürfe, über das ich selbstverständlich Stillschweigen zu bewahren habe. Ich versuchte dies abzuwehren, da ich annehmen mußte, daß es sich um kein seinen Anwalt interessierendes Geheimnis handle. Sie, verehrter Herr Kollege, kennen gewiß ebenfalls jene Vertraulichkeiten, die völlig unnötig sind und mit denen uns gewisse Klienten geradezu überschwemmen aus dem schwer zu diagnostizierenden Wunsch heraus, unser Vertrauen zu gewinnen oder gar unsere Zuneigung. Und wie immer in solchen Fällen, war er nicht zu bewegen, seinen verdammten Privatkram für sich zu behalten. Er erhob sich, nestelte umständlich einen Schlüssel von seiner Uhrkette und schloß das Möbel auf. Dann bat er mich, zu ihm zu kommen, und forderte mich auf, ein paar Schubladen zu öffnen. Ich zog eine halb heraus und erblickte eine grüne Damenhose, ein Höschen. Ich lächelte und schob das Kästchen wieder hinein. Ich griff nach einem anderen und betete, daß ich diesmal mehr Glück hätte. Ich zog und erblickte wiederum ein Dessous, jetzt weiß und mit vielen Rüschen. Sehr schön, sagte ich, schob das Kästchen rein und wollte damit meine Inspektion aufgeben. Doch nun zog mein Mandant rasch weitere Schubladen auf und verschloß sie erst wieder, wenn er sich davon überzeugt hatte, daß ich einen Blick darauf geworfen hatte. In jeder der Schubladen lag eine einzelne Damenhose, teilweise mit Gebrauchsspuren, und neben jedem dieser Dessous klebte ein kleiner Zettel mit einer Datumsangabe und kurzen Bemerkungen über einen Ort, die Fundstelle, sowie über die Art und Weise der Inbesitznahme des Kleidungsstückes (es verwies alles auf fortgesetzten Diebstahl, aber auch auf mildernde Umstände). In jeder Schublade hätten mehrere Unterhosen Platz gefunden, doch es befand sich jeweils nur ein einziges Höschen darin. Es gab Damenhosen in allen Farben, es gab einfache rosa Baumwolle und spitzenreiche Seidenstoffe, duftig, zart, ein Hauch von Textil. Bei einigen Stücken war leicht vorstellbar, wie erregend und provozierend die Trägerin, mit diesem Sammelobjekt bekleidet, wirken müßte.

Der gute Mann genoß mein Erstaunen. Es freute ihn, mir seine Sammlung zu präsentieren, mich an seinem Geheimnis teilhaben zu lassen, und mehr stolz als verlegen berichtete er mir von seiner Leidenschaft, gebrauchte Damenhosen zu sammeln. Sie mußten unbedingt gebraucht sein. Neue und ungetragene, aber auch frischgewaschene Stücke lehnte er rigoros ab. Die schönsten Schaustücke seiner Sammlung waren selbstverständlich jene, bei denen der Erwerb mit Schwierigkeiten und Hindernissen verbunden war, mit Furcht vor Entdeckung, mit einer kleinen Geschichte der Eroberung. Weitaus weniger geschätzt waren jene Hosen, die allzu leicht in seinen Besitz kamen, da die ursprüngliche Eigentümerin leichtfertig war oder den Verlust nicht bemerkte. Die für ihn banalsten Dessous, die er mir geradezu unwillig vorführte, waren die Zufallsfunde in einem Wald oder am Strand.

Er füllte unsere Gläser nach und schickte sich an, mir die Sammlung vollständig zu zeigen und zu erläutern, hierin nicht weniger penetrant und aufdringlich wie die unermüdlichen Vorführer privater Fotos, Dias und Videofilme. Ich konnte ihn, ohne unhöflich zu werden, nur mit Mühe bremsen, allerdings war ich, wenn auch nicht eben an der Darbietung seiner Damenhosen, an der Geschichte seiner Leidenschaft und Sammlung interessiert. Und ich versuchte zu erfahren, was ihn bewogen hatte, sie mir, seinem Anwalt, zu zeigen. Es stellte sich alles als sehr banal heraus. Es war ein vermutlich sexuell zu nennender Trieb, der ihn bewog, die Slips zu stehlen, meistens von Frauen aus seiner unmittelbaren Umgebung und Bekanntschaft, also eine gewiß ungewöhnliche, aber auch nicht berauschende Leidenschaft, jedenfalls nicht für mich, den Zuhörer. Und die Geschichten seiner Eroberungen (ausschließlich der Hosen, nicht der dazugehörigen Damen) waren so aufregend wie ein Bericht von Kindern, die in Nachbars Garten Äpfel klauten. Daß er mir das Innenleben seines beeindruckenden Schranks offenbaren wollte (es wäre angebrachter zu sagen: mußte), ergab sich aus seiner Leidenschaft, dem Stolz auf seine Sammlung und dem Bedürfnis, über all das zu reden. (Vermutlich war die Gattin dafür der ungeeignetere Partner, obgleich bei ihr gewiß mehr Sachverstand bei der Beurteilung der einzelnen Wertstücke vorhanden war als bei mir.)

Der Mann war ein Casanova, zweifellos. Ein unserem Jahrhundert angemessener Casanova freilich, versehen mit Allergien, Streß und psychischen Schädigungen. Er war zügellos, leidenschaftlich, waghalsig und überspannt wie jenes Original, nur daß sich sein unmäßiger und unbeherrschbarer Trieb auf einen Ersatz konzentrierte. Über die Abenteuer seiner Eroberungen konnte er ebenso weitschweifig und eitel berichten wie sein Vorfahr, und in der lückenlosen Registratur übertraf er ihn gewiß, da er mehr als nur Erinnerungen vorzuweisen hatte. Bürokratisch verwaltete er mit ordnender Hand seine Schätze und den Sturm der Gefühle.

Mir war unbehaglich, und die Zukunft erwies, daß meine Befürchtungen zu Recht bestanden hatten. Die Offenbarung seiner Sammlung machte mir den Mann nicht liebenswerter oder vertrauter, ich hatte im Gegenteil einige Schwierigkeiten, den Sammler gebrauchter Damenhöschen mit dem geschätzten Klienten und Geschäftsmann in Übereinstimmung zu bringen. Auch ihm fiel es, nachdem er sich vor mir so weit entblößt hatte, schwer, unbefangen und sachlich seine geschäftlichen Angelegenheiten zu besprechen. Die Kanzlei Dres. Wieser verlor einen Klienten.

Ich bin abgeschweift, verehrter Herr Kollege, um Ihnen mit einer Geschichte anzudeuten, was Billardspielen für mich bedeutet. Es ist gewiß kein anrüchiger oder schmieriger Rausch, kein etwas peinliches Herrenvergnügen, das man aus verständlichen Gründen

den Augen anderer entziehen sollte, aber auch ich treibe mein Spiel mit einer vergleichbaren Leidenschaft, und zumindest diese halte ich verborgen. Ich fürchte, zu viel über mich zu offenbaren, wenn ich davon erzähle, und ein Spieler sollte kein offenes Buch sein.

Aber halten wir nicht alle etwas versteckt? So eine winzige, rosafarbene Damenhose? Ein hübsches kleines Geheimnis, das uns zu entlarven vermag?

Vermutlich protestieren Sie jetzt, Herr Fiarthes. Sie sollten und müssen sogar protestieren, denn es ist der Versuch, Sie auf meine Stufe hinabzuziehen (lesen Sie: hinaufzuziehen, dann kennen Sie meine Gemütslage besser). Nein, natürlich habe nur ich so ein Geheimnis zu verwahren, das mich – falls es durch einen unseligen Zufall bekannt werden sollte – in der Öffentlichkeit desavouiert. Nur ich habe etwas zu verbergen, was mich für die menschliche Gemeinschaft unmöglich macht (ich und mein verlorener Mandant, der Geschäftsmann aus dem Rheinland), alle anderen sind ehrenwerte Bürger. Ich bin es schließlich, der in der Zelle eines Untersuchungsgefängnisses sitzt, während die anderen Mitmenschen, auch Sie, verehrter Herr Fiarthes, freie Luft atmen und sich der ungeteilten Wertschätzung ihrer Umwelt erfreuen. Ich will mich daher auf mich beschränken und keine unzulässigen Verallgemeinerungen vornehmen, die Sie zurückweisen müssen und die geeignet sind, mich Ihrer Sympathie verlustig gehen zu lassen. Letztlich versuchte ich Ihnen nur zu erklären, warum in einem Zimmer meines Hauses auf Sylt ein großer Billardtisch steht, den ich keinem Menschen zeigen will. (Es geht keinen etwas an, und ich möchte mich nicht der mißlichen Situation aussetzen, Auskunft über meine kleine Leidenschaft geben zu müssen. Das ist alles.) Ich brauche das Spiel, um ruhig und konzentriert nachdenken zu können. Tatsächlich beruhigt es mich, die Bälle laufen zu lassen. Die Berechnungen am Spieltisch helfen mir, meine Unternehmungen zu konstruieren, die Widerstände und Widrigkeiten zu berücksichtigen, den fürchterlichsten oder dümmsten Verlauf nicht außer acht zu lassen und den Zufall zu planen. Ein schwieriges Geschäft, wie Sie mir einräumen werden (und das Spiel mit Queue und Ball fördert die Vollkommenheit und die Eleganz).

Eigentlich geschieht alles an diesem Tisch, auf diesem Tisch. Die späteren Ausführungen stellen gewissermaßen nur noch die Gegenprobe dar, eine Beweisführung, daß mein Plan perfekt war. Und auch das, was Sie ein unglückliches und rätselhaftes Ereignis nennen, es geschah dort, in dem Zimmer in Kampen, auf dem Tisch mit dem grünen Tuch. Wir werden mit dieser Erklärung das Gericht nicht zufriedenstellen können, was sehr bedauerlich ist.

Haben Sie nicht auch gelegentlich bemerkt, daß wir bei einigen Fällen mit der Wahrheit vor Gericht nichts anfangen können? Sie ist nicht erfaßbar und muß dann vom Richter wie von der Öffentlichkeit – und auch bereits von uns – zurückgewiesen werden, weil wir nur über das sprechen und befinden können, was uns verständlich ist. Ein Diebstahl ist für uns alle einsichtig, eine Unterschlagung ist ebenso natürlich, ein Raub, gewiß, doch schon bei Ehescheidungen und bei Mord tappen wir stets nur an der Oberfläche, wissend daß wir zum Kern nicht vordringen können und wohl auch nicht wollen. Und wenn gelegentlich etwas von dem auftaucht, was uns dem Bündel und Gewirr von Ursachen und Gründen näherbringen könnte, ersticken wir es schnell mit den uns zur Verfügung stehenden Gesetzestexten.

Der Wahnsinn und die Leidenschaft, und wir alle sind nicht frei von ihnen, sind nicht justitiabel. Sie sind mit unseren Gesetzbüchern gottlob nicht erfaßbar, denn wohin gerieten wir, wenn wir dies zu untersuchen hätten, wenn wir über das Nicht-Sagbare befinden und urteilen müßten. Ein Gericht hat im Grunde nicht über einen Fall und die Wahrheit zu urteilen, sondern lediglich über das uns Begreifbare. Wir verhandeln über das, was wir erfassen können, und der Angeklagte muß es zufrieden sein. Denn auch dort, wo er spürt, daß wir ihm Unrecht tun, daß wir an seiner Sache vorbeireden und sie nicht begreifen, bleibt er hilflos und ebenso unfähig wie wir, das Eigentliche zu benennen. Auch er ist nicht in der Lage, in Worte zu fassen, wofür wir keine Worte haben. Er fühlt wohl deutlich, wie ungenau und unsinnig falsch wir ihn und seinen Fall sehen, aber auch er ist nicht fähig, sich und uns den Vorgang zu erhellen. Das mag uns trösten: wir reden an der Sache vorbei und haben wenig von ihr verstanden, aber doch nicht weniger, als der Angeklagte uns selbst mitteilen konnte. Wir sollten daher das Wort Wahrheit aus dem Gerichtssaal verbannen und stattdessen von Wahrscheinlichkeit sprechen. Der Angeklagte und die Zeugen sollten angehalten werden, das Wahrscheinliche auszusagen. Mehr ist von ihnen nicht zu verlangen. Und wir und das Gericht sollten uns die gleiche Zurückhaltung bei der Wahl unserer Worte auferlegen.

Schütteln Sie nicht den Kopf, Herr Kollege. Wir sollten, wenn wir das begriffen haben, uns zurückhalten und zu Lebzeiten nicht weiter verkünden, nach der Wahrheit zu suchen. Wir kennen sie nicht. Und wir würden sie nicht erkennen, wenn wir sie selbst in der Hand hielten.

Ich, beispielsweise, bemühe mich seit Tagen, Ihnen meinen Fall zu erläutern, das also, was man gemeinhin die Wahrheit nennt. Wenn es mir gelingen sollte, und ich zweifle daran, so werden Sie eine Wahrheit besitzen, die Ihnen nichts nutzen kann. Kein Gericht wird sie akzeptieren, man würde Sie – falls Sie trotz Ihrer Bedenken sie dem Gericht vortragen – behandeln wie einen Kunden, der mit einer unbekannten Währung, mit nie gesehenen bunten Scheinen etwas bezahlen will. Sie werden meine Wahrheit in der Tasche lassen, und das Gericht wird sich dennoch erdreisten, über mich zu urteilen. Ich beklage mich nicht, ich habe mich längst damit abgefunden, und gemeinsam mit Ihnen werde ich dem Gericht eine andere Wahrheit präsentieren, eine die glaubwürdiger und nützlicher für mich selbst sein wird. Und die vor allem wahrscheinlicher klingt als die Wahrheit. Von ihr wollen wir nicht mehr reden. Dies wollen wir den Dilettanten überlassen, die wenig von dem wissen, was sie tun und sagen. Oder Gott, wenn es ihn denn gibt. Und auch hier werden wir die Wahrheit erst nach unserem Tod erfahren.

Ein Gerichtstermin in meinem Billardzimmer in Kampen erübrigt sich. Man kann dort nichts sehen als einen ganz normalen Spieltisch, der nichts verständlicher machen, der nichts erklären könnte. Dennoch, die Tat geschah dort, wie alles Entscheidende in meinem Leben, seit ich das Haus kaufte. Schließlich suche ich dieses Zimmer nur auf, wenn etwas zu entscheiden ist. Mißverstehen Sie mich nicht, lieber Herr Fiarthes, selbstverständlich spiele ich dort nur. Ich bin ein leidenschaftlicher Billardspieler, der ganze Tage an dem grünen Tisch verbringen kann, ohne an etwas anderes zu denken als das Spiel. Ich liebe den großen Tisch. Es macht mir Spaß, um ihn herum zu laufen, immer auf der

Suche nach der besten Stellung für den Stoß. Ich liebe das grüne Tuch, mit dem ich ihn ausschlagen ließ. Schon um des Tuches willen möchte ich keinen Besucher in diesem Zimmer. Mir graust bei dem Gedanken, irgendein Depp könnte das Tuch beflecken oder mit dem Stock hineinstoßen. Ich habe körperliche Schmerzen bei dem Gedanken. Für mich wäre es wie ein Sakrileg. Ich respektiere, daß ein Tabernakel oder ein anderer Kultgegenstand einer Kirche oder Religionsgemeinschaft etwas Heiliges ist, ein Tabu, etwas Unberührbares. Ich verstehe es, weil auch ich solch ein Tabernakel besitze, das man nach einer Beschädigung (welch ein Gedanke!) nicht einfach austauschen kann. Mein Billardtisch, mein Billardzimmer sind unberührbar. Für alle, außer für mich, den Hohen Priester.

Sie werden daher verstehen, daß ich selbst weibliche Begleitung nur ungern nach Sylt mitnehme. Ich habe damals fürchterlich gelitten, als diese Damen das Zimmer betraten und tatsächlich sofort nach einem Queue griffen, als seien sie in einer gewöhnlichen Kneipe, und ich konnte sie nur mit unverschämten und beleidigenden Bemerkungen davon abhalten, sich über meinen Tisch zu lehnen und mit dem Stock nach den Bällen zu stochern. Ich werde jene Besuche nicht vergessen. Damals verstand ich die Weisheit des Zölibats. (Allerdings, zumindest stundenweise, begreife ich sie nicht, und im Augenblick, hier in der Zelle der Untersuchungshaft, sind diese Stunden des Unverständnisses quälend lang. Alles ist eine Frage der Zeit: wäre ich zwanzig Jahr älter, die Untersuchungshaft wäre für mich etwas weniger belästigend.)

Mein Haus in Kampen ist nicht gedacht für glückliche Tage und unbeschwerte Wochen. Wenn ich nach Sylt fliege oder fahre, will ich mich nicht erholen, sondern habe ein Problem zu lösen, das für mich in Berlin unentwirrbar ist. Ich muß ein paar Bälle laufen lassen, um etwas auszurechnen. Ganz wie Wissenschaftler, die mit kreideübersäten Kitteln vor ihrer Wandtafel stehen, um den Fehler einer Gleichung zu finden, laufe ich mit dem Queue in der Hand um den grünen Tisch, nur um eine anfangs noch sehr unbestimmte Absicht zu konkretisieren, einen Plan zu fassen, den Verlauf zu berechnen, die Hindernisse und möglichen Niederlagen ins Kalkül zu ziehen, den Zufall zu orten und zu begrenzen, um ihn beherrschbar zu machen. An diesem Tisch fielen alle Entscheidungen. Hier wurde auch entschieden, wer und wann und wie er zu sterben hat. Der Rest, was Sie die Tat nennen, war lediglich eher die lästige Ausführung und die Probe aufs Exempel. Auch die Atombombe wurde nicht zuerst in einer Fabrik gebaut und über jener amerikanischen Wüste und auf die nun weltbekannten Städte in Japan abgeworfen. Das waren nur die unumgänglichen Folgen, der zu führende Beweis für die Schlüssigkeit und Fehlerfreiheit einiger Gedanken, die lange zuvor das Licht der Welt erblickt hatten. Ihre Schöpfer, denke ich, werden beim Anblick der fertig gebauten Bombe oder der mit ihrem Abwurf geschaffenen Wüste keineswegs erschrocken oder entsetzt gewesen sein. Schließlich war alles zuvor höchst genau berechnet, und die stets zu berücksichtigenden Abweichungen blieben innerhalb der Toleranzen. Wenn die zerstörte Fläche oder die Anzahl der Toten und Verseuchten drei oder fünf Prozent weniger oder mehr war, als errechnet, das hätte keinen der Wissenschaftler erschreckt und nichts an dem Erfolg geschmälert. Man wird Erschrecken geheuchelt haben, gewiß. Ich sage: geheuchelt, weil ich eher die Moral als den Verstand dieser Leute in Zweifel ziehen will. Schließlich kann man nicht gleichzeitig den Tod kalkulieren und bei der praktischen Verwirklichung dieser Rechnung die angestrebten und dann erreichten Resultate nicht glauben wollen. Das könnte nur ein Idiot mit ausgeprägter Bewußtseinsspaltung, der wiederum nicht fähig wär, eine Bombe zu konstruieren (oder Billard zu spielen, um den Weg der Bombe vom Verlassen der Flugzeugluke bis zu ihrem endgültigen Ziel festzulegen).

Das Verbrechen, wie man umgangssprachlich und bedingt durch die mangelhafte Fantasie der Presse und der mich vernehmenden Beamten meine Tat leider noch immer bezeichnet (Fiarthes, ich setze auf Sie), geschah in Kampen. Die Medien gaben mir seit meiner Verhaftung die merkwürdigsten Attribute, um mich für ihr Publikum einprägsam und verkaufsfördernd zu kennzeichnen. Aber der für eine Schlagzeile durchaus geeignete Titel, der mich und den so schwer verständlichen Vorgang weit mehr als alles, was ich bislang zu Gesicht bekam, charakterisieren könnte, wäre ein Wort wie: Der Billardtischmörder. Das Wort Mörder ist allerdings dabei ganz unsinnig, ich sagte es bereits, aber ich weiß, daß ich mich gegen dieses Etikett nicht wehren kann, und will es daher gelassen hinnehmen. Es ist im Grunde gleichgültig.

Der Billardtisch war und ist das eigentliche Ereignis, aber wir werden es keinem plausibel machen können. Man würde es Ihnen, Verehrtester, und mir als Ausflüchte verweisen. Ich bin mir nicht einmal sicher, ob ich Ihnen verständlich machen konnte, weshalb Damenbesuch ebenso wie jeder andere Besucher in jener Wohnung unerwünscht ist. Für diese Vergnügungen habe ich ein altes Bauernhaus südlich von Viareggio. Ich ließ es umbauen und mit dem nötigen Komfort versorgen, um dort einige Wochen im Jahr verleben zu können, verleben im wörtlichen Sinn. In das italienische Bauernhaus nehme ich nie Akten mit, und es gibt auch keinen Billardtisch. Man kann dort Tennis spielen und baden und sich sonnen, man kann Pferde ausleihen, und für all das ist mir Damenbegleitung sehr erwünscht. Und so wie ich pedantisch darauf achte, allein nach Sylt zu fahren, vermeide ich es, in die nördliche Toscana ohne eine angenehme und unterhaltende Begleitung zu reisen. Man muß sein Leben etwas einrichten können und ordnen, wenn man nicht Gefahr laufen will, zu seinem Sklaven zu werden, denn was wir Leben nennen ist nur ein Trieb. Man will halt leben, so wie man essen, wie man sich kleiden und wie man vögeln will. Die Triebe brauchen eine gewisse Ordnung, weniger damit man gesellschaftsfähig bleibt – dieser Verlust ist verschmerzbar, wenn man die Gesellschaft betrachtet und sich in Erinnerung ruft, wozu sie fähig ist –, als vielmehr, um mit ihnen auszukommen. Wir bedürfen gewissermaßen einer Buchhaltung der Gefühle, weil in uns selbst keinerlei Ordnung ist. Das Äußere muß das Innere ersetzen (eine Prothese mehr, um die wenigen Jahrzehnte auf dieser Erde zu überstehen). Oder sollte ich jetzt nur wieder von mir sprechen, lieber Herr Fiarthes? Nun, auch diese Frage kennt keine Wahrheit der Antwort. Ihr Ja oder Nein, verzeihen Sie, besagt nichts und teilt mir eher Ihren Wunsch und Ihre Distanz mit als den Tatbestand. Eine kleine Lächerlichkeit, und wir können sie nicht ergründen und müssen uns mit Mutmaßungen abfinden. Wie kühn ist es da doch, bei gewichtigeren Fragen zu urteilen und gar Urteile zu sprechen! Kühn, lächerlich und absurd, aber das Amt erfordert es (und schützt uns in unserer Dummheit).

Aber Sie werden unwillig, Verehrter, und völlig zu Recht. Ich schweife fortwährend ab und kann diesmal keineswegs behaupten, diese Sätze würden irgendeinen Hintergrund der Tat erhellen. Ich raube Ihre kostbare Zeit. Die einzige Entschuldigung, die ich vorbringen kann, ist die Zelle, in der ich mich aufhalten muß. Ich bin von meiner nicht eben aufmunternden Umgebung abhängiger, als ich erwartete. (Noch nie in meinem Leben habe ich aufrichtiger einem Kollegen einen beruflichen Erfolg gewünscht als Ihnen in diesem Moment. Sollten Sie scheitern – sehen Sie, was für seltsame Gedanken mich in der Zelle befallen –, ich würde Ihren Mißerfolg wohl jahrelang tief zu bedauern haben.)

Ich war, wie gesagt, im März nach Sylt gefahren, da mich eine eher zufällige Auflistung meines Bankberaters verstört hatte. (Seit Anfang des Jahres war ich Millionär, und das Geld vermehrte sich unablässig. Von dem Moment an, als mir der Bankangestellte mit einem feinen Lächeln einen handgeschriebenen Zettel mit der siebenstellige Zahl als Vermögensbilanz über den Tisch zuschob, hatte das Geld in den wenigen Wochen seit dem Jahreswechsel unermüdlich weitergearbeitet und bereits einige tausend Mark erwirtschaftet.) Ein Traum, den ich sicher als Schüler und Student gehabt hatte, war erfüllt, doch auch dieser Traum erfüllt sich nur, um einem Gefühl der Leere, der Sinnlosigkeit und des Überdrusses Platz zu machen.

Tatsächlich? sagte ich nur und sah bestürzt auf den Zettel mit der Zahl. Jahre zuvor hatte ich mir wahrscheinlich vorgestellt, daß ich diesen Tag mit einer schönen Frau verbringen würde, vergnügt und voller Pläne, unbesorgt und freigebig. Es würde, vermutete ich, ein besonderer Tag meines Lebens werden. Stattdessen war ich niedergeschlagen. Ein Kinderwunsch von mir war in Erfüllung gegangen, und wie immer, wenn sich etwas vollendete, ging in mir etwas zu Ende. Was ich erreicht hatte, eine Million, empfand ich nur als Verlust, den Verlust eines Wunsches, eines Ziels. Die angehäufte Geldsumme ängstigte mich, sie würde sich ununterbrochen und auch ohne mein Zutun vermehren, und die Vorstellung, daß sich diese Zahl fortwährend vergrößerte, war für mich bedrückend.

Ich schätze Geld. Ich habe sehr lange unter Geldmangel gelitten, Jahre hindurch mußte ich ärgerliche und kleinliche Berechnungen anstellen und Dummheiten begehen, um übergroßen Verschuldungen zu entgehen. Geld ist für mich Freiheit und Zeit, beides kann ich mit Geld erkaufen oder doch weitgehend mir ermöglichen. Meine Sucht, viel Geld zu verdienen, gründet sich auf meinen Hunger nach Unabhängigkeit, auf den Wunsch, meinen Freiraum zu vergrößern und immer nach eigenem Gusto ja oder nein zu sagen. Ich habe jedoch nie gespart, und ich habe gern und schnell Geld ausgegeben. Mein Lebensstil, die Kanzlei und die Wohnung in Berlin wie auch die beiden Häuser kosteten und kosten viel zu viel, als daß ich daran denken konnte, nebenbei derart viel Geld auf der Bank zu versammeln. Es war aus Versehen passiert. Ich hatte damit nicht gerechnet, was natürlich nicht nur in Ihren Ohren etwas lächerlich klingt. Es ist lächerlich.

Die Bemerkung des Bankangestellten machte mir plötzlich klar, daß für mich hier eine Grenze war, die ich nicht folgenlos überschreiten kann. Ich hatte noch mehr Sicherheit und Unabhängigkeit gewonnen, aber gleichzeitig streifte mich ein Hauch tödlicher Langeweile.

Anstatt mit einer schönen Frau, verbrachte ich den Nachmittag mit einer Migräne, der bald jene schon erwähnten Depressionen folgten.

In dem Zimmer meiner Sylter Wohnung lief ich, das Queue in der Hand, Tag für Tag um den Tisch, um mit lange bedachten Stößen den Spielball laufen zu lassen und so ganz nebenbei mein eigentliches Problem zu lösen. Aufgeben, alles aufgeben, war der erste Gedanke gewesen, mit dem ich schon auf der Insel angekommen war. Es war durchaus reizvoll für mich, mir vorzustellen, wie ich über Nacht aus der Kanzlei aussteige und Herrn Brederle oder einem Kollegen meinen Anteil verkaufe und übergebe, um dann für eine gewisse Zeit zu pausieren und anschließend eine völlig andere Tätigkeit zu übernehmen. Eine grobe und gründliche Veränderung, die alles in Frage stellen könnte, vor allem mich selbst. Ein heilsames Durcheinander. Eine Katastrophe, die mir helfen sollte, der Langweile zu entgehen. Ein für mich tödlicher Überdruß, zu dem diese unheilvolle hohe Zahl meines Bankkontos das Ihre beitrug, bedrohte mich. Diese Million verstärkte bei mir die Müdigkeit und verstärkte die Suizidgefahr. Und für einen Moment erwog ich auch, mir eine Kugel durch den Kopf zu schießen und in meinem Abschiedsbrief lakonisch auf die Mitteilung des Bankangestellten zu verweisen (ein origineller Grund, aus dem Leben zu scheiden, hoffe ich). Die Vorstellung, künftig noch mehr mit geldheckenden Geldern zu tun zu haben, nahm mir den Spaß, den ich brauchte, um weiterzuleben. Das Geld begann mein Spiel zu zerstören, das mich, seit ich mich selbständig gemacht hatte, unterhielt. Am Leben hielt.

Die Stöße wurden heftiger und unkonzentrierter, ein Signal, daß ich mich in einem Irrgarten bewegte. Ich wußte, daß mein Ausscheiden aus der Kanzlei mein Problem lediglich verschieben würde. Ein Witz mit einer zu dürftigen Pointe. Wenige Monate später würde mich, wenn ich keine tatsächliche Lösung fände, mein Überdruß wieder eingeholt haben. Und welch anderer Beruf hätte mir so viel Spaß bereiten können, um meinen kleinen Lebensekel vergessen zu lassen. Ich wäre gern ein professioneller Sportler geworden. Der Sport und zumal der Profisport ist dem wirklichen Spiel sehr nah, und vor Jahren hatte ich leidenschaftlich und auch sehr gut Wasserball und Handball gespielt. Doch für diese Sportarten war ich inzwischen zu alt, zudem waren sie für mich nicht geeignet, sie professionell zu betreiben.

Naheliegender war es, als Billardspieler anzutreten. Ich wußte, ich bin gut, ich bin sogar sehr gut. Ich war in körperlich guter Verfassung, jedenfalls war ich es damals, als ich noch regelmäßig zum Training ging (Handball, Senioren) und – wenn es meine Zeit erlaubte – einmal in der Woche mit meiner Harley-Davidson nachts von einem Ende der Stadtautobahn zum anderen raste.

Heute, hier in der Zelle, bemerke ich bereits erschlaffendes Gewebe, mir fehlen der wöchentliche Sportclub und mein Motorrad. (Eine Nebenwirkung der Untersuchungshaft wie auch eines Aufenthalts im Gefängnis ist ein rechtlich nicht zu begründender Anschlag auf die Gesundheit und damit auf die körperliche Unversehrtheit. Die Beeinträchtigung der sexuellen Betätigung mag, wenn auch nicht gesetzlich abgesichert, noch als Teil der Strafe zu akzeptieren sein, dagegen sind wucherndes Fettgewebe, Gesichtsblässe und schlechter Teint als Folge staatlichen Gewahrsams nicht hinzunehmen. Sportliche Betätigung ist ein Teil der Körperhygiene, die nicht beeinträchtigt werden darf. Der Staat überschreitet hier seine Befugnisse. Ich denke, man kann von passiver Folter sprechen, Herr Kollege, und ich wäre Ihnen dankbar, wenn Sie mir gelegentlich Ihre Ansicht dazu mitteilten.)

Eine Karriere als Billardspieler war für mich vorstellbar. Dieser Sport reizt mich. Er ist wesentlich schwieriger und anregender als das allgemein gerühmte Schachspiel. Auch hier entscheidet die Erfahrung, die Kenntnis möglicher Spielzüge und Stöße, doch die Zahl möglicher Konstellationen, die ein ausgezeichneter Spieler sich einprägen muß, wenn er wirklich vorzüglich sein will, ist um ein Vielfaches größer als beim Schach, nach meinen oberflächlichen Berechnungen das Vierzehn- bis Achtzehnfache. Ein Computer, der sämtliche Spielvarianten speichern wollte, müßte folglich eine sehr viel höhere Kapazität aufweisen. Der eigentliche und grundsätzliche Unterschied zum Schach aber besteht in einem Moment des Spiels, der nicht aufzuzeichnen ist. Denn wenn neben allen Varianten zusätzlich auch alle Möglichkeiten der direkten und indirekten Stöße, sämtliche Effets und möglichen Läufe gespeichert wären, es fehlte noch immer die alles entscheidende Ausführung des Stoßes. Ich kann alle Varianten von Bällen gespeichert haben, ich kann jeden Stoß berechnen und mit Parametern erfassen, der Moment des Stoßes aber wird von einem Gefühl bestimmt. Dieses Gefühl ist geprägt von Erfahrungen und meinem körperlichen und seelischen Zustand im Augenblick des Spiels und nicht aufzuzeichnen oder auch nur zu vermitteln. Beim Schach ist die bloße Ausführung eines Zuges, das Umstellen einer Figur, höchst nebensächlich. Sie kann gleichermaßen mit der rechten wie mit der linken Hand erfolgen, konzentriert oder sehr beiläufig. Selbst eine ungeschickte Bewegung vermag nichts an der Qualität des Zuges zu ändern, ja, es ist sogar unnötig, ihn selbst auszuführen, der Spieler braucht ihn nur anzusagen.

Es ist dadurch ein starres Spiel, welches sich in der reichen Logik seiner Regeln und Möglichkeiten erschöpft.

Beim Billard ist die Ausführung das alles bestimmende Tüpfelchen auf dem i. Trotz aller Berechnungen, die allerletzte Bewegung entscheidet und krönt den Spielzug. Der brillanteste Spieler ist ein blinder Narr, wenn er den Tisch nicht kennt, das Material von Tuch und Bande, die fast unendlichen Spielmöglichkeiten des Stoßes und die Stoßpunkte des Balls.

Langweile ich Sie, Verehrter? Ich spreche nicht über Billard, wie Sie meinen, ich will Ihnen lediglich etwas über den Tatort erzählen.

Den Gedanken, das Billardspielen zum Beruf zu machen, verwarf ich bald. Ich wußte, ich würde das Spiel dadurch zerstören und für mich verlieren. Aber vor allem ahnte ich, daß es mir nicht ausreichen würde. Es wäre zu wenig, um meinen Überdruß zu besänftigen. Der Kitzel würde nicht ausreichen. Selbst ein glänzender Aufstieg – und bei aller Bescheidenheit, ich zweifle noch heute nicht an meinen Fähigkeiten am Tisch – würde mich rasch ermüden und langweilen. Die Vorstellung, in den nächsten Jahrzehnten oder doch Jahren Pokale und Geld einzusammeln, schreckte mich. Es war zu wenig. Ich kann dieses Spiel nicht als Selbstzweck betreiben. Mit Bedauern, denn reizvoll wäre es für mich, ist es immer noch, verwarf ich den Gedanken.

Ich lief noch weitere drei Tage um den Tisch, mit nichts als Bällen und meinen Gedanken beschäftigt, bis ich endlich einen kleinen Faden greifen konnte, der sich nicht im gleichen Moment in nichts auflöste. Ich spürte augenblicklich, daß dieser Faden fest und haltbar war und ich ihn nur noch weiterspinnen mußte, und völlig gelöst spielte ich einige Bälle, bevor ich mich daran machte, einen Entwurf meiner neuen Arbeit zu skizzieren. Wie immer begann ich mit einem groben Umriß und ging diesen dann wiederholt und von Anfang an durch, bis langsam eine deutlichere und detaillierte Zeichnung entstand. Ich suchte nach Fehlerquellen, entdeckte die voraussichtlichen Schwierigkeiten und entwarf die Gegenstrategien. Ich suchte den Plan mit den möglichen und mit den eigentlich ausgeschlossenen Zufällen anzureichern, ich ließ ihn daran fast scheitern, um danach auf neuen Pfaden und Umwegen ans Ziel zu gelangen. Nach einer Woche intensiven Spiels war alles perfekt. Ich buchte einen Platz in der nächsten Maschine und meldete telefonisch meine Rückkehr nach Berlin.

Im nachhinein stellte ich fest, daß ich für meine Entscheidung, die Tätigkeit in der Kanzlei einzuschränken und mich künftig der kommunalen Politik zu widmen, kaum einen glücklicheren Termin hätte wählen können. Es war März 1967. Langsam und erst im Rückblick begreifbar, bereitete sich in der Stadt eine Unruhe vor, eine Erregung, die meinen Absichten entgegenkam und sie beförderte. Der Zeitpunkt meiner Entscheidung war die Folge jener verhängnisvollen Mitteilung des Bankbeamten. Ich ahnte damals noch nichts von der beginnenden nervösen Stimmung in der Stadt. Es war ein glücklicher Zufall. Es war jener glückliche Zufall, der dem ernsthaft Spielenden nicht fremd ist, den er sogar ins Kalkül ziehen muß, wenn sein Spiel wirklich fehlerlos sein will. Auch der Zufall ist ein Moment des Spiels, und wie man nicht auf ihn setzen kann, wenn man nicht alles gefährden will, darf der Spieler ihn nicht außer acht lassen. Sonst wird selbst der glücklichste Zufall nur eine fatale Störung, die das ganze Spiel zunichte zu machen vermag.

Die sich anbahnenden und für mich noch kaum bemerkbaren Veränderungen arbeiteten mir in die Hände. Ich benötigte vier Monate, um die laufenden Geschäfte abzuwickeln, und ich nutzte meine mittlerweile vielfältigen Verbindungen, die Kontakte mit den politischen Größen der Stadt zu intensivieren. Ich hatte schnell Erfolg, da ich natürlich kompetent und diskret, aber darüber hinaus selbstlos und engagiert schien. Ich achtete darauf, mich politisch nicht zu binden (ein Spieler hat keine Grundsätze, seine Moral ist abhängig von den Bällen), ich mußte für alle offen sein, für jedes Spiel. Meine Selbstlosigkeit erregte anfänglich Mißtrauen. Selbstlosigkeit erregt immer Mißtrauen, da selbstlose Leute nicht berechenbar sind. Die Irritation hatte ich vorausgesehen und eingeplant. Ich wußte, wenn es mir gelingen würde, den Argwohn zu zerstreuen oder doch zu besänftigen, ohne etwas von meiner Haltung aufzugeben, könnte ich eine um so unangreifbarere Position einnehmen.

Bereits ein Jahr später hatte ich es geschafft, und nach vier weiteren Jahren war ich unersetzlich. Es gab kein Gremium und keine Kommission, von denen ich nicht um Mitarbeit gebeten wurde oder die mich nicht in rechtlichen Fragen konsultierten. Ich verbrachte meine Tage in den Büros des Senats und der Parteien, in ihren Gästehäusern und Festsälen der städtischen Hotels, und je gefragter mein Rat war, desto unumgänglicher wurde es zu reisen, so daß ich häufig Gast in den europäischen Hauptstädten war. Die vielen Sitzungen und das beständige Reisen waren mir nicht angenehm, aber es gehörte zu dem Spiel, und ich akzeptierte es folglich. Ich muß Ihnen über diese Zeit nichts erzählen, die Zeitungen haben damals ausreichend über meine Arbeit berichtet. Ein Wochenjournal gab mir sogar den Titel einer grauen Eminenz, eine schmeichelhafte Bezeichnung und eine, wie ich gern einräume, durchaus zutreffende.

In rechtlichen Auseinandersetzungen der Stadt trat ich, wie Sie wissen, nicht auf. Ich empfahl jedoch geeignete Anwälte. Ich scheute nicht den Mißerfolg, wie mir einige der von mir begünstigten Kollegen anschließend nachsagten (Sie nicht, Verehrter, Sie haben mich nie enttäuscht), ich beharrte nur auf dem Status des Beraters und meiner Selbstlosigkeit und wies Angebote zurück, die mir Honorare einbringen konnten. Mein Gewinn war das Spiel, der Lauf der Bälle. Vor dem Verarmen schützten mich die wenigen Fälle, die ich in der Kanzlei übernahm, in der ich nur noch ein fast stiller Partner von Herrn Brederle war (und natürlich meine gut angelegten Gelder).

An der Politik interessierte mich nicht der Gewinn und auch nicht die Macht. Sie zog mich an, weil sie auf beständig wechselnde Verhältnisse zu reagieren hat. Die Politik wie das Spiel, und auf eine andere Art auch das Schicksal, sie sind sich nah, und vielleicht sind sie identisch. Es werden Ziele gesetzt, die man zu erreichen sucht, die aber nicht starr oder auch nur genau definiert sind. Auch das Ziel kann sich ändern und verformen, es ist selbst Teil des sich fortwährend ändernden Spiels. Und die möglichen Wege sind nur für einen Moment sichtbar und zu gebrauchen. In der nächsten Sekunde kann alles wechseln. Die einzige feste Größe ist das Spiel selbst. Man muß bereit und fähig sein, sofort auf die neuen Bälle zu reagieren, wenn man das Spiel machen will. Dieser häufige und schnelle Wechsel verführt den unaufmerksamen Beobachter dazu, von fehlenden Grundsätzen zu sprechen, aber das ist ein alberner, ein blinder Standpunkt. Auch das Schicksal kennt derlei merkwürdige Festlegungen nicht, und jedes Aufbäumen gegen das Schicksal wirkt völlig zu Recht als unangemessen lächerlich. Jedes große Spiel kann in Wahrheit auf Grundsätze verzichten, da es in sich selbst ruht. Und eben das ist der Reiz, daß ich unentwegt einen präzisen Weg zu beschreiben und einzuschlagen habe, der logisch, einsichtig und erfolgversprechend ist und im nächsten Moment nicht mehr existiert. Ich bin genötigt, alle Überlegungen und Pläne zu verwerfen und mit gleicher Präzision die neue Lage der Bälle zu analysieren und einen anderen Plan zu entwerfen, der gleichfalls keinen Ewigkeitswert besitzt. Sie verstehen, wie unsinnig es wäre, hier mit Grundsätzen zu operieren oder fehlende Prinzipien zu beklagen. Auch das Schicksal spielt und kann folglich keine Gesetze und Regeln akzeptieren, es schafft sie.

Für die Masse wird dies stets unbegreiflich bleiben, denn sie sucht nach der Sicherheit und versucht dem Spiel zu entgehen. Daher bejammert sie fortgesetzt ihr Schicksal und ist von der Politik enttäuscht. Und selbst da, wo sie glaubt zu spielen, sucht sie ihre Sicherheit zu vergrößern. Die kleinen Ganoven auf der Straße haben – wie der Staat – dieses Mißverständnis gesehen und nutzen es zu ihrem Vorteil, indem sie einen Gewinn versprechen, der ein Phantasma, und ein Spiel, das nur Betrug ist. Die Spieler sind nicht jene armen Deppen, die dem vorgegaukelten Luftgespinst hinterhertaumeln, die Spieler sind allenfalls die Veranstalter solcher Vorspiegelungen, denn mit Geschick und teilweise erstaunlicher Präzision lassen sie das schnell dahinschwindende Gebilde immer wieder neu entstehen und sind dabei so glücklich oder raffiniert, daß selbst die bloße und ständige Wiederholung ihres Betrugs ihre einfältigen Kunden zu überzeugen vermag. Die

Veranstalter derart trügerischer Unternehmungen sind wohl eher Wiederholungstäter, die es allein auf Bereicherung abgesehen haben, als wirkliche Spieler. Ich erwähne es nochmals, weil das vorhandene Mißverständnis schwer auszurotten ist und Ihnen, lieber Herr Fiarthes, das Begreifen meiner Geschichte und meines Falls unnötig erschwert.

Denken Sie, jedenfalls während Sie sich mit meinem Fall und meiner Akte beschäftigen, nie an diese Dummheiten, die man landläufig als Spiel bezeichnet. Erlauben Sie Ihren Assoziationen einen Freiraum, der auch die Politik und das Schicksal einschließt. Und falls Sie Assoziationen aus Standesgründen verabscheuen, so halten Sie sich an meinem Billard fest.

Es waren glückliche Jahre.

Mein Gott, glückliche Jahre, was für ein Wort. Sagen wir, es war eine Zeit des Spielens. Fast jeder Tag brachte Veränderungen, auf die zu reagieren war, und die eingreifendsten Veränderungen waren die im Spiel befindlichen und neu hinzukommenden Personen. Politiker sind Spieler, nicht weniger, aber auch nicht mehr. (Wohlgemerkt, ich spreche nicht von dem Gesindel, das sich so nennt. Es sind zwei Ehrentitel, mit denen sich heute Tausende schmücken und die keiner Handvoll zukommen.) Irgendwann haben sie sich aus Gründen, an die sie sich gewöhnlich heute kaum noch erinnern können und die sie, falls sie darauf angesprochen werden, mit einem leisen, alles verzeihenden Lächeln bedenken, entschieden, eine politische Karriere anzustreben. Und irgendwann wurden sie von dem Spiel gefangen und ihm hörig. Sie haben noch immer ihre verschiedenen Grundsätze, Absichten und Pläne, sie formulieren auch häufig Ziel und Inhalt ihrer Politik, aber tatsächlich sind sie nach einigen Jahren dem Spiel erlegen und würden es auch weiterhin betreiben, wenn jede darüber hinausgehende Absicht überflüssig oder unsinnig wäre. Spiele betreibt man letztlich immer um ihrer selbst willen. Die Politik ist ein durchaus reiches und vielfältiges Spiel, sie besitzt Regeln, die sie wenig einengen, weil sie beständig zu variieren und zu überschreiten sind. Vor allem aber ist sie ein Spiel mit unaufhörlich wechselnden Situationen, also mit einer nicht begrenzbaren Anzahl von Möglichkeiten. Es kommt dem Billard nahe, besitzt aber ihm gegenüber einen nicht unerheblichen spielerischen Vorteil, der alles unsicherer und unüberschaubarer, also spielerischer macht, denn es gibt keinen Spieler außerhalb der Bande. Alle und alles sind Bälle, man bewegt und wird bewegt und muß versuchen, das ganze Spiel im Auge zu behalten.

Gewöhnlich redet man von Geld oder von Macht oder auch von Engagement, wenn man über die Triebfedern der Politik spricht. Das ist, glauben Sie mir, Unsinn. Natürlich gibt es genügend Dummköpfe und Wassersuppen, die aus solchen Gelüsten Politiker werden. Es ist sogar die überwiegende Mehrheit, aber diese Leute müssen scheitern. Denn da sie im Grunde andere Ziele verfolgen, Ziele, die dem Spiel entgegenstehen, sind sie ungeeignet. Es gibt in unserer Gesellschaft Bereiche, in denen man sich diese Hoffnungen leichter und schneller erfüllen kann. Ein sogenanntes Engagement ist immer Grundsätzen verpflichtet und damit starr und unbeweglich, es erlaubt nicht die geschmeidige Beweglichkeit des Spielers. Und Macht oder Geld sind als Lohn dieses Spiels zu wenig. Was der Spieler verlangt, ist die Faszination eines Spiels, der man unterliegt. Sie ist der Gewinn. Einfacher gesagt: man entgeht der Langeweile. Und das ist es wohl doch, was uns alle bewegt. Denn der Hunger, jedweder Hunger ist getilgt, der Appetit ist gezügelt und muß gekitzelt werden, wenn er uns zu irgend etwas bewegen soll. Was uns bleibt, um die Langeweile zu fliehen, ist nur noch das Spiel. Nennen Sie es, wenn Sie philosophisch gestimmt sind, die Angst vor dem Tod. Oder vielleicht auch Todessehnsucht. Es ist einerlei, und wir können es ebenso die Spielleidenschaft nennen. Glückliche Jahre, sagte ich, und wenn wir den pathetischen Ton dieser Worte überhören können, will ich sie unterschreiben.

Ich habe in dieser Zeit wunderbare Menschen kennengelernt, wirkliche Spieler, ebenbürtige Partner. Verehrtester, Sie wissen, wie unsäglich wir leiden, wenn wir genötigt sind, gegen einen beschränkten Richter oder begriffsstutzigen Staatsanwalt anzutreten. Es vergällt uns den Sieg, noch bevor wir ihn erlangten. Ein unwürdiger Partner im Spiel erlaubt es uns, leicht, rasch und vollkommen zu gewinnen, aber es fehlt der Spaß. Ich kann nicht glanzvoll kämpfen, ich kann nicht meine Fähigkeiten erkunden und bis an den Rand meiner Möglichkeiten gelangen, wenn ich keinen Gegner habe, wenn mir von der anderen Seite nur etwas labbriger Qualm entgegenweht. Es ist quälend, unter dem eigenen Niveau arbeiten zu müssen. In unserem Berufsstand gibt es durchaus eine Auslese, ein Prinzip, das besonders Befähigte bevorzugt und fördert. Aber die Rechtsprechung benötigt zu viele Juristen, als daß diese Selektion wirklich dazu führen kann, uns nachhaltig, und sei es auch nur für einen sehr eingeschränkten Bereich, von Dilettantismus, Grobschlächtigkeit und penetranter Textgelehrsamkeit zu befreien. Zu gewinnen, ohne gefordert zu sein, kann uns gelegentlich erheitern, aber nicht zufriedenstellen, und letztlich hinterläßt ein solcher Sieg nur ein schales Gefühl, einen pelzigen Geschmack auf der Zunge. Es waren diese billigen Triumphe, die mir den Beruf verleideten. Und nur das Spiel, ein wirkliches Spiel, konnte mich erlösen.

Ich habe es nie bereut, meine Kanzleitätigkeit einzuschränken und mich der kommunalen Politik – die man sehr zu Unrecht geringschätzt, denn für den Spieler und den wahren Politiker stehen, wie ich erfuhr, hier die gewichtigen Tische – zur Verfügung zu stellen, also ein wenig im politischen Billard mitzuspielen oder, wie mir so häufig versichert wird, mich um das öffentliche Wohl verdient zu machen. Der Wechsel war eine vortreffliche Entscheidung, er bescherte mir zwei Jahrzehnte anregender Aufgaben und Unternehmungen, mehr also, als ich anfangs erhofft und mir in Kampen errechnet hatte. Die Entscheidungen waren zumeist von lokaler Bedeutung, denn auch wenn sie das Verhältnis zum Bund oder zu ausländischen Metropolen betrafen, standen stets die Interessen der Stadt im Vordergrund. Und selbst jene Entscheidungen, die schwierig oder sogar unlösbar schienen und die erst im Verlauf von Monaten und gelegentlich Jahren getroffen werden konnten, waren im Grunde banal. Begabte Fachleute, die durchaus ausreichend in den Behörden anzutreffen sind und die den langen Prozeß der Entscheidungsfindung sachkundig begleiteten und auf Anforderung immer neue Unterlagen und Begründungen lieferten, wären befähigt, die nach langwierigen und zähen Auseinandersetzungen beschlossenen Lösungen selbständig und allein aufzuspüren und die notwendigen Entscheidungen zu treffen. Es ging ohnehin nur um einen im Rahmen gewisser Möglichkeiten und Bedingungen zu erkundenden optimalen Kompromiß, also um ein weitgehend programmiertes Resultat, zu dem jeder Fachbeamte nach dem Studium der Sachlage und des zulässigen Lösungsspielraums auch ohne aufwendige Beratung gelangt wäre. Denn selbst eine überraschende und ungewöhnliche Entscheidung, die von der Öffentlichkeit und der Presse heftiger diskutiert wurde, war ausnahmslos Umständen geschuldet, denen sie Rechnung tragen mußte. Insofern nahm alles seinen einzig möglichen Verlauf, seinen geradezu natürlichen Weg, ungeachtet der zuständigen oder dafür berufenen Beamten, unbeeinflußt von Mandatsträgern und Politikern.

Fiarthes, es ist die heilige Wahrheit, wenn ich Ihnen hier erkläre, daß ich nach zwanzig Jahren, die ich als juristischer Berater in der Politik verbrachte, davon überzeugt bin und sicher weiß, daß jedes Problem im Grunde allein heranreift, zu einer Lösung drängt und fähig ist, diese Lösung selbst zu suchen und auch zu finden. Alles, was die Heerschar von Politikern und Beamten dabei zu leisten hat, ist, eine rasche und voreilige Lösung zu verhindern. Unterschätzen Sie nicht die Bedeutung dieser Leistung. Es ist ein wichtiger, ein bedeutungsvoller Vorgang, da das Problem selbst blind ist und jede Lösung akzeptiert, selbst wenn diese fatale Folgen hat. Das dann entstehende neue Problem würde zwar ebenso rasch zu seiner Lösung drängen, aber dieses Zufallssystem erforderte einen unendlichen Aufwand, bevor eine wirklich zufriedenstellende Lösung gefunden wäre.

Politik ist ein Spiel. Napoleon, einer der bedeutendsten Spieler, nannte es Schicksal und meinte den gleichen Spieltisch. Entfernen Sie die Politiker aus dem Spiel, so werden die Bälle allein laufen und irgendwann ebenso treffsicher ihre Tasche erreichen.

Alles, was Politiker zu tun haben, ist, die Kräfteverhältnisse zu überschauen und die Bälle so lange laufen zu lassen, bis sich die Winzigkeit eines Vorteils ergibt, den man nutzt, wenn die dann neu entstehende Situation der verbliebenen Bälle und des Kräfteverhältnisses gleichfalls von Vorteil oder doch nicht allzu abträglichem Nachteil ist. Auch dieses Spiel wird nur gespielt, um zu gewinnen, und wie bei allen großen Spielen müssen Sie nicht nur die gegenwärtige Situation im Auge behalten, sondern auch künftige Partien und Konstellationen berücksichtigen. Denn so sehr wir auch den unmittelbaren und vollkommenen Sieg anstreben, eben dieser Gewinn und nicht die momentane Niederlage gefährdet uns.

Jeder Sieg ist durch künftige Verluste bedroht, dem endgültigen Ende sind wir nie näher als bei einem totalen Erfolg. Spielerisch ergiebiger ist es, eine Pattsituation anzustreben und sie zu halten. Zwei Bälle, die auf dem grünen Tisch unaufhörlich nebeneinanderlaufen, im gleichen Abstand, im gleichen Tempo, mit vergleichbaren Karambolagen, die sich parallel oder in Entsprechungen bewegen und direkte Treffen vermeiden und die unmittelbar nach erreichten kleinen Vorteilen bestrebt sind, das gleichrangige Nebeneinander wiederherzustellen, das ist das eigentliche Spiel, auch das politische. Und es gehört dazu, daß diese Läufe sich fortgesetzt steigern. Die Bälle müssen rascher laufen, oder durch Veränderungen ihrer Richtung und Abstände zueinander, durch Winkelzüge und Effets, durch ein Nutzen der Reibung mit dem Tuch muß das Spiel eine ständige Steigerung erfahren. Die Unendlichkeit des Ballaufs ist es, die den Spieler reizt und den wirklichen Politiker auszeichnet. Sie kennen die üblichen Vorurteile gegenüber Politikern. Da wird von Macht und Ehrgeiz und Geld gesprochen. Den wirklichen Politiker, den Spieler (und immerhin zwei oder drei von ihnen habe ich in diesem Land kennengelernt), interessieren nicht diese äußerlichen Momente, die für das Publikum und den Laien als das eigentliche Spiel erscheinen. Das sind nur Stufen einer Treppe, und er weiß, daß einer Stufe lediglich die nächste folgt. Ein Ziel kann man dabei nicht erreichen. Man kommt dem imaginären Ziel nicht einmal näher. Ein unfehlbares Ziel, also ein Ende, gibt es nicht, nur die Folge der Stufen, die man zu bewältigen hat und deren Betreten zunehmend schwieriger wird.

Ich hatte mich richtig entschieden. Meine Vermutung, in der Politik das tatsächliche Spiel zu finden, erwies sich als zutreffend. Für zwei Jahrzehnte stand ich an dieser Bande, beobachtete und spielte, übte mich im direkten Stoß und Effet, lernte absichtsvoll Kickser zu erzeugen und eine Carotte aufzubauen. Ich arbeitete mit Nachläufer und Massé und verstand es, einen Preller und das Versprengen in einer Spielstrategie einzusetzen und als Dessin zu nutzen.

Und ich lernte, wie gesagt, Spieler kennen, wirkliche Spieler, ebenbürtige Spieler. Es gibt nicht viele, verehrter Herr Kollege, in Wahrheit sind es, wie ich bereits andeutete, nur sehr wenige, aber ich war es zufrieden. Im Grunde benötigt jeder Spieler nur einen einzigen Partner, der ihm ebenbürtig oder auch überlegen ist, um weiter spielen zu können. Und diese Männer fand ich.

Es waren nur Männer, was ich sehr bedauerte, denn es wäre ein zusätzlicher Reiz, die Bälle gegen eine Frau laufen zu lassen. Aber ich habe keine Spielerin in der Politik kennengelernt, leider. Überhaupt habe ich selten Frauen als Spieler erlebt. Vielleicht sind Frauen zu ehrgeizig, um spielen zu können. Oder zu mitleidend, um beim Spiel kühl zu bleiben. Gefühle behindern nach-

haltiger als eine zittrige Hand oder gelegentliche Nachlässigkeiten. Für das eine gibt es Krücken, im anderen
Fall hat man nachträglich etwas zu korrigieren, was
die Schwierigkeit und damit den Reiz erhöht. Gefühle
jedoch verderben alles. Wer mit Gefühlen an den Spieltisch tritt, ist verloren, bevor er das Queue ergriffen
hat. Es ist eine Behinderung, die es verbietet zu spielen,
denn was beim Spiel mit Gefühlen angerichtet wird,
ist nicht mehr gutzumachen. Alle späteren Züge können nichts mehr verbessern, da der Fehler nicht durch
eine falsche Berechnung, sondern durch ein Konglo-
merat von sowohl verständlichen wie auch völlig irra-
tionalen Beweggründen entstand, sich also einer Analyse entzieht und damit einen Weg zum Fortsetzen des
Spiels versperrt. Diese Behinderung ist so irreparabel,
weil der, der mit Gefühlen spielt, diese nicht ablegen
kann, wenn er eben jenen Fehler zu beheben sucht,
den er durch Gefühle verursachte. Vielleicht wird er
versuchen, sich zusammenzunehmen und die Gefühle
zu unterdrücken. Doch sie sind noch vorhanden, und
wie jede Behinderung nicht beseitigt ist, wenn man sie
überspielt, werden die unterdrückten Gefühle auch
dann ihren spielfremden Einfluß besitzen. Ein Hin-
kender kann für eine gewisse Zeit seine Behinderung
verbergen, doch dem aufmerksamen Beobachter wird
kaum entgehen, daß sein Gang eine irritierende Merk-
würdigkeit aufweist, die vielleicht das eigentliche Leiden verdeckt, doch nicht das Verbergen selbst. Haben
Sie mal Frauen beobachtet, die in zu kleinen oder un-
bequemen Schuhen laufen und sich dabei um Haltung
und Eleganz bemühen? Die schmerzende Blase am Fuß,
sie verrät sich immer wieder. Ebenso das Gefühl. Nein,
mit Ehrgeiz oder Gefühlen kann man nicht spielen,
nicht wirklich spielen. Es ist durchaus lobenswert, Ehr-

geiz zu besitzen, und gegen Gefühle läßt sich schon gar nichts sagen. Es sind gewiß die besseren Menschen, die derlei aufweisen können, es sind möglicherweise sogar gute Menschen, nur eben keine Spieler.

Ich war, wie gesagt, zufrieden. Die vielen Jahre, die ich an diesem Spieltisch verbrachte, erlauben mir kein anderes Urteil und werden Sie von der Wahrheit meiner Worte überzeugen.

Da ich zwei Jahrzehnte ausharrte, werden Sie erahnen können, wie fesselnd dieses Spiel für mich war. Und der Vorfall, wie Sie neuerdings meine Tat so behutsam zu nennen pflegen, muß nicht unbedingt der endgültige Abschluß dieses Spiels sein, er soll mir lediglich ein weiteres Spiel eröffnen, ein reizvolles Nebenspiel. Denn es gab Erschöpfungen und wenn auch nicht eben Wiederholungen, so doch allzu übersichtliche Partien. Es gab Erfahrungen, leider, aber sie sind immer unvermeidbar. Erfahrungen, verehrter Fiarthes, sind etwas für Handwerker, sie prahlen sogar damit. Das ist auch ganz in der Ordnung, denn sie bieten schließlich eine Tätigkeit an, die sie nur deswegen vollkommen beherrschen, weil sie diese bereits tausendfach ausübten. Wenn ich ihre Dienste nutze, verlange ich eben diese Sicherheit und Garantie. Ich will mit dem Handwerker kein Risiko eingehen, denn dafür interessiert mich seine Arbeit zu wenig. Ich bin nicht bereit, das Wagnis zu bezahlen, das für ihn existiert, wenn er eine Tätigkeit zum ersten Mal ausübt und nicht sicher ist, ob sie ihm auch vollkommen gelingt. Das mag er daheim treiben, aber wenn ich ihn bezahle, erwarte ich eine Leistung ohne das Moment des Spiels und des Risikos. Für den Spieler jedoch sind Erfahrungen das Ende. Es ist ja der eigentliche Kern des Spiels, daß es keinerlei Gewißheiten gibt, auch keine, die aus Erfahrungen gespeist sind.

In dem Moment, da die kitzelnde nervenaufreibende Unsicherheit des Spiels zerstört oder auch nur eingeschränkt wird durch eine vorhandene Gewißheit, ist ein erfolgreicher Zug programmiert, und Spiel und Spieler sind am Ende. Doch da Erfahrungen nicht zu vermeiden sind und zwangsläufig und selbst bei der vorzüglichsten Partie sich statt der Ungewißheit sichere Bälle zeigen, ist ein gelegentlicher Wechsel der Tische unumgänglich. Aus diesem Grund hatte ich die Arbeit in der Kanzlei eingeschränkt, und ebenso zwangsläufig ergab sich die unerläßliche Tötung, oder wie Sie sagen, der Vorfall.

Ich sprach von den ebenbürtigen Spielern, die ich traf, und beeile mich nun hinzuzufügen, daß es tatsächlich nur drei Leute gab, denen ich diesen Ehrentitel zusprechen kann. Der Rest, mit dem ich tun bekam, waren Dummköpfe, Narren, Gauner und gute Familienväter. Was diese an der Politik interessiert, sind die gewöhnlichen und üblichen Dummheiten. Die albernsten Vorurteile, die man in der Öffentlichkeit über sie hegt, sie werden von ihnen durchweg bestätigt. Sie suchen nach Macht, obwohl sie rasch begriffen haben müssen, daß sie ohnmächtiger sind als ein Kneipenwirt. Sie wollen Geld, was zwar vorhanden ist und auch reichlich verteilt wird, aber doch nichts ist im Vergleich mit dem, was sie anderenorts mit einem ähnlichen Aufwand von Dummheiten erreichen könnten. Und schließlich sind es Eitelkeiten, die sie in dieses Spielzimmer trieben, eine Sehnsucht nach Ruhm, nach Bekanntsein und Erkanntwerden, der Wunsch, wichtig zu sein, zu den Meinungsmachern gezählt zu werden, deren Ansichten und Urteil gefragt sind und die man hofiert. Sie wissen nach wenigen Wochen, daß sie lediglich beamtete Rädchen einer gut strukturierten und funktionierenden Bürokratie sind, die nur wichtig sind und gebraucht werden, wenn sie akkurat die ihnen zugefallene Aufgabe erfüllen. Dabei ist es gleichgültig, ob sie ein sehr kleines oder größeres Rad darstellen. Sie haben jede persönliche Meinung zu unterlassen und die Verpflichtung, sich und alles, was sie unternehmen, in einen Gleichklang mit der Gesamtmaschinerie zu bringen. Sie haben durchaus Macht, aber nur wenn sie genau jenes betreiben, was ihnen vorgeschrieben ist, und sie stören und werden umgehend eliminiert, wenn das Rädchen sich anders dreht. Sie haben etwas Macht, und sie sind abhängig. Und sie haben nur dort Macht, wo sie abhängig sind, das macht sie eigentlich zu Sklaven, denn selbst in den nebensächlichen und privaten Angelegenheiten müssen sie sich dem Apparat unterordnen. Und dort, wo diese Maschinerie nichts festlegte und vorausbestimmte, haben sie nicht etwa einen Freiraum, unabhängig und unbelastet von ihrer eigentlichen Funktion, hier sind sie sogar gefährdeter. Da keine Handlungsanweisungen vorliegen, nach denen sie sich richten können, müssen sie das korrekte Verhalten erahnen. Welche Qualen müssen sie durchstehen, wissen sie doch, daß sie verloren sind, sollte ihr Gespür sie trügen. Der Hinweis auf die fehlende Anweisung kann ihnen dann nicht helfen, sie werden behandelt und bestraft, als hätten sie gegen ein ehernes Gesetz verstoßen. Ach, und es sind keine Spieler, die ihren Lebenskitzel aus der Ungewißheit ziehen. Es sind unglückliche Beamte, die nichts anderes wünschen, als die vorgeschriebenen und ungeschriebenen Verpflichtungen zu erfüllen und zur Zufriedenheit des allmächtigen Apparats zu arbeiten. Sie sind getrieben von Ängsten zu versagen, und ihr Vergnügen, noch bedeutungsloseren Kreaturen als mächtig zu erscheinen, läßt die stets vorhandene unterwürfige Furcht in ihrem Auge nie ganz verschwinden.

Spieler gewinnen oder verlieren, sie steigen oder fallen, aber diese Beamten der Politik verstehen lediglich, Karriere zu machen, und sind bedauernswert, weil sie selbst dieses bescheidene und durchaus menschliche Vergnügen nicht zu genießen verstehen. Ihr Leben vergeht in der Furcht, sich zu irren, in der Angst vor der falschen Entscheidung. Sie leben in einer Ungewißheit, die ihnen keinen Spaß bereitet, sondern alles vergällt. Sie haben kein Vergnügen an der Vergänglichkeit, sie sorgen sich um das Unwägbare und fürchten den ungewissen nächsten Tag. Es sind genügsame Menschen, die wenig von ihrem Leben verlangen und die man bereits mit Geld zufriedenstellen kann. Alles, was sie sich wünschen, ist Sicherheit, und es bleibt ihnen unbegreiflich, wenn ihre teuer erkauften Sicherheiten sich immer wieder als nicht haltbar erweisen. Das Leben aber ist ein Spiel, es ist sogar Spiel und Spieler zugleich und verabscheut es, sich festzulegen. Das können diese Bedauernswerten nicht verstehen, obwohl sie es unablässig erfahren müssen. Sie haben auf ihr Leben verzichtet zugunsten einer Schimäre und versuchen ihrem Schicksal zu entgehen, indem sie einem Phantom nachjagen.

Nein, von diesen Leuten spreche ich nicht. Nicht mit ihnen stand ich zwei Jahrzehnte an der Bande, um die Bälle laufen zu lassen. Die drei ebenbürtigen Kombattanten und Gegner, die ich fand, entschädigten mich für die lästigen, aber unumgänglichen Dummheiten, die auf der sogenannten politischen Bühne das gewöhnliche Alltagsgeschäft ebenso prägen wie bei jeder anderen menschlichen Tätigkeit. Und die Ganoven und in ihre eigene Bedeutung verliebten Tröpfe, die durch ihre immer gleichen und so leicht durchschaubaren Absichten unfähig oder doch unwillig waren, einen langen Ballauf, indirekte Stöße und Effets einzusetzen und mit Eleganz und auf verwickelten Wegen um so sicherer den gewünschten Punkt zu treffen, sie waren fast immer Partner meiner Spiele, und, um mich nicht zu langweilen, nutzte ich diese Partien zum Training. Ich nahm sie als unfreiwillige Sekundanten, um Systeme aufzubauen und zu erproben, in denen ich gewissermaßen mit mir allein spielte, da die Gegenzüge meiner spielunfähigen Partner kaum einen Schwierigkeitsgrad darstellten und ich sie als nicht völlig zu vernachlässigende Momente des Zufalls ansah. Mit Cadre und Carotte, mit Vorbänder und Dreiband machte ich das Spiel so luxuriös wie möglich, ich gab gewissermaßen reichlich von meinem Überfluß, nicht achtend der unwürdigen Partner, die nicht nur mein absichtsvolles Versprengen oder einen bewußt erzeugten Schock, sondern selbst einen kunstvollen seitlichen Zieher oder Schnitt nur als Fehler zu begreifen fähig waren. Voll eines kaum verhohlenen Mitleids ergriffen sie das Queue, um nun ihrerseits und wie üblich sehr direkt eine Karambolage zu erreichen, selten durch einen überlegten Stoß, weit häufiger durch ein Stochern, und da sie nie begriffen, was es heißt, eine Disziplin zu spielen, mußten sie ohnmächtig meiner anschließenden Serie zusehen. Ich besiegte sie nicht, über solche Mitspieler zu siegen wäre kränkend. Ich spielte, wie gesagt, mit mir selbst. Und so war es für mich gleichgültig, ob ich die Partie gewann oder, weil ich den Schwierigkeitsgrad überzogen hatte, verlor. Ich war dann nicht ihnen unterlegen, ich hatte lediglich gegen mich selbst verloren, und dieser Spielverlust war Teil des größeren Spiels, ein Versprengen,

um die Ausgangssituation der folgenden Partie zu beeinflussen.

Der bedeutendste Spieler der neueren Geschichte, Napoleon, er spielte stets mit dem Verlust, weil er nur
dadurch auf eine Art gewinnen konnte, die ihn selbst
zufrieden stimmte. Am Beginn seiner Karriere stand
das Bombardement von Paris, ein damals unerhörtes
Vorgehen in einem Bürgerkrieg. Man hielt es zuvor
nicht für möglich, in einer Stadt Artillerie einzusetzen,
man fürchtete sich vor der Unzahl der Opfer. Es hätte
ihn alles kosten können, die Karriere und den Kopf
und sogar den Ruf des Spielers. Aber ebenso konnte
es ihm alles bringen. Und der Gewinn war um so größer,
je gefährlicher und ungewisser der Einsatz war. Und
er spielte weiter, er spielte bis zu seinem Lebensende.
Der Griff nach Moskau war kein Fehler, er ergab sich
folgerichtig aus der für ihn nicht weiter zu übersehen-
den Tatsache, daß er in Europa alles gewonnen hatte.
Auf allen europäischen Spielplätzen gab es keinen ebenbürtigen Gegner, keinen, der eine wirkliche Bedrohung
darstellte, hier war er nur noch zum Siegen verurteilt.
Das ist für einen Spieler eine wirklich unerträgliche,
eine todbringende Gefahr. Er langweilte sich, und an
dieser Langweile drohte er zu sterben. Und er ging nur
nach Moskau, weil er sich anderenfalls aus Langweile
erschossen hätte. Für einen Spieler eine verständliche
und schlüssige Folge. Und ebenso natürlich mußte er
Elba verlassen und nach Paris marschieren. Auch dieses
Spiel war aussichtslos, aber es war ein Spiel, das ihn
aufmunterte und Leben versprach. Und Sie dürfen gewiß sein, daß er sich auf St. Helena mit nichts anderem
beschäftigte, als ein neues, chancenloses Spiel vorzube-
reiten. Er hätte sich sonst aufhängen müssen.

Verehrter, werden Sie nicht ungeduldig. Das sind keine Abschweifungen, denn ich rede von mir und der unerläßlichen Tötung, und nur, um mich Ihnen verständlich zu machen, erwähne ich nun sogar die Geschichte. Und durchaus nicht zufällig komme ich auf Napoleon zu sprechen, schließlich ist er der Heilige der Spieler. Auch er hat übrigens mit unerläßlichen Tötungen zu tun, mit sehr vielen sogar, ohne daß wir ihn einen Mörder oder Totschläger nennen können. Das wäre völlig unsinnig und würde uns lediglich daran hindern, ihn und seine glanzvollen Spiele zu verstehen. Wollen wir nicht vereinbaren, Herr Kollege, auch in meinem Fall endlich die unsinnigen Worte wie Mord und Totschlag fallenzulassen? Ohne eine konkrete Bezeichnung erschweren Sie sich den Zugang zu meinem Fall. Was immer Sie dem Gericht sagen wollen und werden, und ich sicherte Ihnen mehrmals meine Loyalität zu, das heißt ein stillschweigendes Einverständnis mit Ihrer Taktik und Argumentation, Sie selbst sollten – unabhängig von allem, was während der Verhandlung zur Sprache kommen wird – sich um ein Verständnis bemühen. Nur deswegen schließlich, wenn auch nicht nur Ihretwegen, bemühe ich mich in diesem Dossier, das Vorgefallene zu erklären.

Ich gestehe, daß unser gültiges Strafgesetzbuch uns nur eine mangelhafte Hilfe bei der verbalen Erfassung der Tat sein kann. (Es ist lächerlich, mich und die unerläßliche Tötung mit den Paragraphen dieses Buches fassen zu wollen. Ebenso könnte man einen Napoleon vor ein Landgericht stellen.) Diese Schwierigkeit ist für Ihr Auftreten vor Gericht von Belang, sollte uns beide aber bei der Erörterung meines Falls nicht hindern, uns um eine zutreffende Bewertung der Tat zu bemühen. Sprechen wir also von einer unerläßlichen Tötung, um jene anderen Bezeichnungen zu vermeiden, die Sie unweigerlich von mir und jedem Verständnis entfernen müssen. Vielleicht finden Sie nach vollständiger Kenntnis meines Falls ein zutreffenderes Wort, vorerst wollen wir es dabei bewenden lassen. Und ich versichere Ihnen, daß es mir nicht darum geht, eine moralisch wertende und kränkende Vokabel zu vermeiden – ein solches Stigma ist außerhalb meiner Lebens- und Erfahrungswelt –, mich bewegt allein der Wunsch, eine Realität genau zu erfassen, um Ihnen Ihr Spiel zu erleichtern.

Falls der Staatsanwalt oder der Richter von einem Mord oder einem Mörder sprechen sollten, werde ich mich nicht empören oder protestieren. Wir werden dieses absurde Mißverständnis hinnehmen, und Sie werden Ihre Strategie darauf einrichten. Sollte diese Dummheit tatsächlich zur Sprache kommen und ein Punkt der Anklage werden – und ich zweifle nicht daran –, können wir sogar zufrieden sein. Es wird Ihnen dann manches leichter fallen, da es dem Staatsanwalt unmöglich sein wird, die für einen Mord oder Totschlag notwendigen Motive, Ursachen und Handlungsabläufe aufzufinden und dem Gericht zu präsentieren. Es gibt sie nicht, und er muß scheitern.

Ein falsches Wort, eine ungenaue Bezeichnung, und der Ball kann unmöglich die gewünschte Karambolage machen oder die angesagte Tasche erreichen. Das Einschätzen der Stoßrichtung, das Zielen und schließlich das Festlegen des Stoßes muß akkurat erfolgen. Der kleinste Fehler zieht eine sich potenzierende Folge von Entgleisungen nach sich und muß daher dazu führen, daß wir den Zielpunkt verfehlen. Ich hoffe, daß Ihnen mein Einspruch nicht als penibel erscheint. Ich bin ein Spieler und bin es daher gewohnt, minutiös und millimetergenau zu arbeiten.

Ich werde darauf verzichten, Ihnen meine Partien aus jenen zwanzig Jahren zu schildern, die vor der Tat lagen, also meine gewissermaßen politischen Spiele. Ich denke, Sie haben zu Ihrem Verständnis ausreichend Nachricht über die Vorgeschichte von mir erhalten. Ich will Sie nicht mit meiner Biographie behelligen, sondern Ihnen lediglich jene Auskunft zuteil werden lassen, auf die Sie als mein Anwalt einen Anspruch haben. Ich verzichte daher auf die Beschreibung selbst der wichtigeren und durchaus erwähnenswerten Spiele – Sie werden über die Ergebnisse dieser und jener Partie seinerzeit etwas in der Zeitung gelesen haben –, um Ihre Zeit nicht übermäßig zu beanspruchen und rascher zu jener vorerst letzten Partie zu kommen, bei der ich nun Ihre Hilfe benötige.

Ich muß, da ich Ihnen meine Karten vollständig auf den Tisch legen will, denn ich verabscheue es, den Partner oder Gegner zu täuschen, Ihnen gestehen, es gibt noch einen weiteren Grund, keine Namen und keine Spiele dieser zwei Jahrzehnte hier und schon jetzt zu erwähnen. Vielleicht werde ich es zu einem späteren Zeitpunkt nachholen oder, falls Sie wider mein Erwarten Genuß und Interesse an meinem Lebensunterhalt finden, Ihnen Rede und Antwort stehen, wenn Sie und ich diese Partie hinter uns gebracht haben. Siegreich bestanden, wie ich inständig hoffe. Es ist ein anderes Spiel, das mich nötigt, gewisse Details vorerst auszulassen, ein Spiel, das noch nicht begonnen hat, das soeben von mir vorbereitet wird. Ein Spieler wird nach Möglichkeit stets an mehreren Tischen arbeiten, und er wird nicht etwas zu Ende führen, ohne bereits Konstellationen bewirkt zu haben, um bruchlos die Bälle eines neuen Spiels laufen zu lassen. Es ist mein Lebensunterhalt, sagte ich, und ich bitte Sie, es wörtlich zu nehmen, denn es ist das, was mich am Leben hält. Über dieses andere Spiel werde ich Sie zu gegebener Zeit unterrichten. Sie werden der erste sein, der von ihm erfährt. Bei diesem Spiel werden Sie von Beginn an dabeisein als der einzige mit den Spielregeln vertraute Zuschauer. Und ich hoffe schon heute auf gute Läufe und Ihren Beifall.

Es hat in den zwanzig Jahren vorzügliche Partien mit würdigen Gegnern gegeben, und wenn ich nun das Feld verließ oder vielmehr überschritt, so ist dies nur einer unvermeidbaren Übermüdung zuzuschreiben, diesem Wissen, auf diesem Spielfeld nicht mehr verlieren zu können. Sie wissen, wie die Presse, die sich nun so ausführlich wie irreführend mit meiner Person befaßt, mich seinerzeit titulierte. Ich galt als Königsmacher, und weniger respektierlich sprach man auch von Rasputin oder dem Jesuiten. Diese Titel schmeichelten mir und belebten einige Zeit meine Spiellust. Und sie schärften meine Konzentration. Eine willkommene Aufmunterung.

Neid und Mißgunst beflügeln einen fähigen Hasardeur, und wer gewinnen will, muß sich damit abgefunden haben, nicht beliebt zu sein. Sieger sind nicht beliebt. Sie können es nicht sein, denn Ihr Gewinn ist der Verlust der anderen. Sie können geachtet werden, man sollte sie fürchten oder doch respektieren, nur sollten sie nicht über mangelnde Liebe oder entzogene Zuneigung klagen. Wer spielt, ist stets allein. Und wer unter Einsamkeit leidet, sollte jede Art von Queue aus der Hand legen. Mit Liebe ist nie etwas zu gewinnen, aber leicht alles zu verlieren. Eifersucht, Bosheit, Neid und sogar Haß sind dagegen sogar äußerst hilfreich, sie bewahren uns vor den kleinen Nachlässigkeiten, die ein guter Spieler so sehr fürchtet, weil ihm gewichtige Fehler nicht mehr unterlaufen, aber auch er stets in der Gefahr schwebt, ein alles entscheidendes Staubkorn auf dem Spieltisch zu übersehen. Und da man uns nichts verzeiht, kann der geringste Fehler uns stürzen.

War Napoleon beliebt? Eine unsinnige Vorstellung. Seine Feinde haßten ihn. Aber auch seine Soldaten fürchteten ihn. Er hatte sie ins heiße Afrika und ins unwirtliche Rußland gejagt, sollten sie ihm dafür mit liebevoller Dankbarkeit anhängen? Sie waren ihm ergeben, gewiß, so ergeben wie ein blutdürstiger Hund, der so lange vor einem auf dem Bauch liegt und winselt, wie man ihm nicht den Rücken zukehrt. Seine Soldaten liebten ihn aus Angst. Und sie waren auf ihn stolz, weil Napoleon ihnen für Sekunden eine Bedeutung verlieh, die ihrem Leben so gänzlich mangelte. Ihre Bedeutung war mit ihrer Tötung verknüpft, sie wußten und akzeptierten das. Denn aus unscheinbaren Existenzen und dem gewöhnlichen Abschaum eines Volkes machte er in der Stunde ihrer Tötung nationale Heroen.

Und seine Offiziere? Nun, schlagen Sie nach, wie er sie behandelte, aufsteigen und fallenließ nach scheinbar grundlosen Launen, in Wahrheit jedoch dem Kalkül seines Spiels folgend. Von dem Volk will ich gar nicht reden, es bejubelt oder verdammt, das ist einerlei. Er war gefürchtet, und das ist dauerhafter und gründlicher, als es Liebe je sein kann. Und es ist reizvoller, denn jeder Spieler weiß, daß er einmal das Queue abgeben muß und sich dann alles wenden wird. Gegen ihn wenden wird. Und das wiederum ist ein Spiel, das man nur genießen kann, wenn man zuvor alles gewonnen und genossen hatte, auch die Furcht der anderen und ihren Neid. Wer das Hosianna der Masse erlebte und sich daran vergnügen konnte, ohne den Verstand zu verlieren, wer diesen Triumph nicht mit Glück verwechselte, noch sich über die Launen des Schicksals und des Spiels täuschte, wird bei den Kreuzigungsrufen nicht verzweifeln, sondern sich auch daran ergötzen. Denn sie sind kein Unglück, sondern Schicksal, das mit einem spielt und mit dem man spielen kann.

Ich war müde geworden, sagte ich, war wieder einmal überdrüssig, und diesmal war nicht das Geld das auslösende Moment meiner Langeweile. Geld kam reichlich ein, denn da ich anfangs jegliche Honorierung meiner Tätigkeit abgelehnt hatte, floß es – eben wegen meines altruistischen Auftretens und der anfänglichen Weigerung – später um so beträchtlicher. Doch von Erfahrung belehrt, kümmerte ich mich nicht darum, wertete es als Turnierprämien und überließ es der Pflege meines Bankberaters.

Daß ich mich weigerte, Geld anzunehmen, verwirrte die kleinen Grünlinge, die Politik zu machen glaubten, und sie reagierten erstaunt und mit bewunderndem Unverständnis, aber auch mit Mißtrauen. Und da dieses Mißtrauen bestehenblieb und mein Spiel zu gefährden drohte, gab ich mit einem deutlichen Widerstreben meine ablehnende Haltung auf. Die Wirkung, die sich zwangsläufig ergab, ohne daß ich sie bedacht oder angestrebt hatte, war ein mir anhängender Ruf, daß ich, wenn ich mich für ein Thema engagiere, nichts nehme oder sehr viel. Ein durchaus angenehmes Renommée.

Übrigens war es einer jener drei Männer, die ich als ebenbürtige Partner kennenlernen sollte, der mir nach einigen Wochen diesen Effekt meines überraschenden und irritierenden Auftretens ankündigte. Er lächelte, als das Stadtoberhaupt meine Hochherzigkeit und meinen uneigennützigen Einsatz lobte, und machte dann en passant eine Bemerkung in der erwähnten Art, so daß ich hellhörig wurde. Ich habe ihn seit diesem Tag als Spieler nie unterschätzt und tat recht daran. Spieler erkennen sich rasch, an Kleinigkeiten, an der Manier, wie sie nach dem Queue greifen, an der Interesselosigkeit ihrer Stimme und der nichtssagenden Kühle ihrer Augen, wenn sie den Einsatz deponieren oder eine Tasche ansagen. Wann immer ich auf einen der drei bereits erwähnten Spieler traf (es war selten, leider sehr selten, da die Zusammenstellung der Spielrunden fast immer durch jene Kirchenlichter erfolgte, die keine politische Begabung besaßen, aber zum Ausgleich ein hohes Amt) und der Spieleinsatz von einiger Bedeutung war und folglich viele gemeinsame Runden versprach, fühlte ich, wie sich meine Lebenskräfte erneuerten, die Müdigkeit schwand, und ich gewann die Lust und Kraft jener Jahre zurück, als ich ein Kind oder Jugendlicher war. (Die Spiele mit dem Bastard, Sie erinnern sich, waren gewiß sehr viel einfältiger, aber sie besaßen einen unwiederbringlichen Charme. Oder meine Damen von Schoko-Wör, es war kaum ein Spiel zu nennen, aber wie reizvoll für mich. Ach, auch ein Spieler sieht mit Wehmut die dahinschwindenden Jahre. Auch für ihn gibt es ein köstliches erstes Spiel, vergangen, vorbei, auf Nimmerwiedersehen verloren.)

Vielleicht war alles, was folgte, auch die unerläßliche Tötung, nur meinem Alter geschuldet. Diese Müdigkeit, Herr Fiarthes, sie ist das eigentliche Gebrechen des Alters, diese wahrhaft bleierne Müdigkeit, die wir nicht mit Vernunft und all unserer Klugheit vertreiben können, die uns schon so vorzeitig mit dem Tod versöhnt und daher die Krankheit anzieht. Wir benötigen immer größere und stärkere Reize, um wettzumachen, was wir an Erfahrung gewonnen haben. Erfahrung ist Tod. Wir hören auf zu leben in dem Maße, wie wir das Leben kennen und erfahren haben. Wenn wir alles wissen und uns nichts mehr zu überraschen vermag, sind wir tot, gleichgültig wie viele Jahre wir noch zu leben haben. Und nur deswegen versuchen wir, der nächsten Generation, die wir um ihre Jugend beneiden, unsere Erfahrungen weiterzugeben. Und eben deswegen weigern sich die jungen Leute so hartnäckig, uns anzuhören. Sie wollen von unseren Erfahrungen nichts wissen, sie haben, völlig zu Recht, Todesangst vor unseren Erfahrungen. (Wenn Gott wirklich allwissend ist, so muß er längst gestorben sein und versäumt haben, es uns mitzuteilen.)

Ich hatte einen neuen Spieltisch gesucht, der mich mehr affizierte, aber nach zwanzig Jahren waren auch dort die Erfahrungen nicht länger zu übersehen. Trotz der ständig wechselnden Partien, Spielplätze, Partner und Bälle stellte sich das von jedem Spieler gefürchtete déjà vu ein, eine Ankündigung von Sicherheit, der Vorbote der Langeweile, der Anfang vom Ende. (Ich nehme hier nochmals ausdrücklich jene drei eigentlichen Partner aus. Ich hoffe, daß ich nach der Zeit in dieser recht eingeschränkten Behausung, die ich mit Ihrer geschätzten Hilfe bald zu verlassen gedenke, mit ihnen wieder an diese und jene Partie gehen kann. Ein Vergnügen, das mir, ungeachtet aller Wertschätzung dieser Spieler, allein allerdings nicht ausreichen wird – wovon mein derzeitiger Aufenthaltsort nur zu beredtes Zeugnis ablegt.)

Kurzum, ich fand mich immer häufiger auf Sylt wieder. Begreiflicherweise verging kein Jahr, in dem ich meine Kampener Wohnung nicht für einen und sei es noch so kurzen Aufenthalt nutzte. Die günstige Flugverbindung und eine mich stets plötzlich überkommende Sehnsucht nach der Meerluft verführten dazu, auch ohne daß ich ganze Tage am Billardtisch verbringen mußte. Selbstverständlich nutzte ich die Gelegenheit für Fingerübungen. Es gab jederzeit ein paar Läufe, die ich ausprobieren wollte und für die ich die Einsamkeit jenes Zimmers benötigte. Aber wann immer ich mich entschloß, auf die Insel zu fahren, etwas Überdruß war stets im Gepäck. (Es mag sein, daß mich das Leben einfach nicht ausreichend interessiert. Das könnte alles erklären. Aber welcher Richter würde es verstehen?)

In Berlin besitze ich keinen Billardtisch, ich habe es mir untersagt, um diese Leidenschaft besser kontrollieren zu können. (Freilich ist es keine echte Sucht, wie Sie mittlerweile bemerkt haben dürften, aber doch eine fatal anziehende Gelegenheit, Zeit totzuschlagen oder vielmehr mit einer Sache auszufüllen, die mir etwas Spaß bereitet.)

Öffentliche Billardsalons aufzusuchen, um dort ein paar Bälle laufen zu lassen und ein paar Überlegungen zu überprüfen, versage ich mir. Es könnte eine Gewohnheit werden, aber vor allem verabscheue ich es, unter den Augen irgendwelcher Zuschauer eine meiner Kombinationen zu erproben und zu analysieren. Mich stören die Ratschläge und Bemerkungen. Sie sind lächerlich, da der zufällige Beobachter mein wirkliches Ziel verkennt und bestenfalls aus seinem Verständnis der Spielregeln urteilt, was mich langweilt. Ich vermeide es, weil das Spiel am Tisch nicht nur eine technische und taktische Bedeutung für die tatsächliche Partie besitzt, sondern für mich der Anfang und eigentlich auch der Kern meiner Unternehmungen ist, und lediglich für meine Spielgegner, für Partner wie Zuschauer, gewöhnlich scheint. Für sie gibt es bei diesen Manövern keinen Schlüssel, der ihnen das dafür notwendige Verständnis eröffnen könnte.

Ich bemerkte, daß ich wieder häufiger nach Kampen reiste und mich für mehrere Tage in dem Zimmer einschloß, um spielen zu können. Ein untrügliches Zeichen, daß ich mich zu langweilen begann.

Ich hatte gute Jahre gehabt. Ich hatte ein Spiel gefunden, das es mir erlaubte, weiter zu leben, und dieses Spiel hatte mich über einen erstaunlich langen Zeitraum faszinieren können. Ich war also nicht verwundert, daß der alte, mir nur zu gut bekannte Überdruß mich wieder ergriff, eher war ich erstaunt und zufrieden, daß ich für so viele Jahre eine für mich reizvolle Beschäftigung gefunden hatte. Natürlich war ich nervös. Ich wußte, ich muß etwas verändern, und ich mußte es bald verändern. Es ging etwas zu Ende, und bevor dieses Ende auch zu meinem würde, hatte ein neues Spiel zu beginnen. Und ich wußte, ich näherte mich Moskau. Meinem Moskau.

Gewiß ahnte Napoleon, daß der Feldzug nach Moskau alles vernichten könnte, was er zuvor geschaffen hatte, aber auch ihm blieb keine Wahl. Gerade der Erfolg aller vorherigen Unternehmungen zwang ihn, weiterzugehen und gegen jede Vernunft einen aussichtslosen Zug zu wagen, zum Hasardeur zu werden und alles aufs Spiel zu setzen. Auch ihm ging es nicht darum zu gewinnen, um anschließend die Besitzstände zu wahren und zu verteidigen. Er mußte spielen, um weiter leben zu können. Darum der Spielzug Moskau. Auch er nahm dafür Tote in Kauf, Tausende, Zehntausende, viel mehr als ich, sein sehr bescheidener Nachfahre. Auch er wird ihren Tod irgendwie bedauert haben, aber ihr Tod war unvermeidlich, wenn er sich nicht selbst gefährden wollte, tödlich gefährden wollte. Im Grunde, auch wenn wir es alle nicht gern hören wollen und überhaupt nicht akzeptieren können, im Grunde, verehrter Fiarthes, war es Notwehr. Ihr Leben oder seins, eine andere Wahl hatte er nicht. Er mußte spielen, nolens volens auch mit ihrem Leben, da ihn das Spielbrett Europa zu langweilen begann. Er ging aus Müdigkeit nach Moskau, dieser König der Spiele, mein Vorfahre und großer Bruder. Und wir alle, auch Sie, auch der moralisierende Staatsanwalt und der Rest der Heuchler, akzeptieren stillschweigend und zustimmend seine Entscheidung. Auch uns ist sein Leben kostbarer als das irgendwelcher uniformierten Bauern seiner Großen Armee. Und wie er näherte ich mich auf meinem, sehr viel kleineren Spielbrett einem Ende und mußte ein größeres Wagnis suchen, mit geringen Gewinnchancen, ein fast aussichtsloses Spiel, das mir die Müdigkeit verscheuchte.

Ich war wieder in meinem Kampener Zimmer, lief um den Billardtisch und wußte, daß es für mich nur noch wenige Spiele gab, die mich herausforderten, und es dauerte lange, sehr lange, bis ich begriff, was nun für Spiele beginnen mußten, um der Langweile zu entgehen. (Notwehr, Kollege Fiarthes!)

Ich brauchte zwei Jahre, um es zu begreifen und vor allem zu akzeptieren. Ich erwähne dies nicht, um Sie zu beeindrucken oder gar auf meine moralischen Skrupel zu verweisen, ich will Sie lediglich vor dem Trugschluß bewahren, ich hätte leichtfertig gehandelt. Ein solcher Verdacht ist für einen Spieler kränkend. Man kann verlieren, natürlich, aber wenn man ein Spiel aus Leichtfertigkeit vergibt, also ungenau gerechnet oder unsauber den Ball bewegt hat, hört man auf, zumindest für diesen einen Moment, ein Spieler zu sein. Nein, diese Entscheidung habe ich reiflich überlegt, und sie ist mir sehr schwergefallen. Zu vieles widerstrebte mir, vor allem jener Moment des Spiels, den man meine Tat nennt und um dessentwillen ich vorübergehend (bald vorübergehend, hoffe ich), dieses kleine und häßliche Appartement beziehen mußte. Denn wenn auch alle dazugehörigen Überlegungen und Berechnungen durchaus noch in einem mir vertrauten Bereich waren, so war doch der eigentliche Stoß, der Augenblick des realen Beginns oder der praktischen Erprobung dieses Spiels, bereits jenseits meiner Möglichkeiten. Ich wußte, es würde für mich ein monströser Akt werden. Ich fürchtete diesen einen unumgänglichen Stoß der Partie, denn ich empfand ihn schon vorweg als unangenehm, belästigend und degoutant. Die fatale Seite einer unumgänglichen Entscheidung. Ich hätte viel dafür gegeben, diesen Stoß mit den mir gemäßeren, spielerischeren Mitteln bewältigen, die direkte Handlung, die Tötung, mit einem vorzüglichen Ballauf bewirken zu können, zumal die Karambolage lediglich die praktische und insofern langweilige Ausführung eines zuvor erarbeiteten Spielablaufs sein würde, der für mich die eigentliche Leistung darstellte, das mich wirklich erregende Spiel. (Freilich, ohne die Probe aufs Exempel wäre das Spiel nicht reizvoll. Erst das Experiment als Nagelprobe der Konstruktion am Tisch macht das Spiel so anziehend. Erst die praktische Erprobung krönt dieses Königsspiel. Ich kann Moskau nicht erobern, ohne die Armee schließlich auch hinzuführen.) Ich benötigte, wie ich erwähnte, zwei ganze Jahre, um einzusehen, daß es keine andere Möglichkeit mehr gab, kein anderes Spiel, um mir das nötige Lebensbedürfnis, also einen Reiz, der meinen Ekel zu übersteigen vermochte, zu sichern.

Ich habe mich heftig dagegen gewehrt. Nicht, weil ich das menschliche Leben als einen übermäßig hohen Wert und daher für besonders schutzbedürftig ansehe. (Unsere Kultur hat sich in diesem Punkt zu weit von der Natur entfernt. Es gibt auch zivilisierte Völker auf dieser Erde, die klarer und unsentimentaler das Leben des Menschen in den Kreislauf von Erde und Natur einzuordnen verstehen.) Ich habe ein gewisses Interesse an meinem Leben, allerdings an einem, das mich nicht langweilt. Im übrigen würde mich der Verlust jener zwei kleinen Waldstücke in Berlin, in denen ich häufig spazierengehe und den Eichhörnchen zusehe, oder eine störende Beeinträchtigung der Meerluft in Kampen weit mehr erregen, als der durch Gewalt erfolgte Tod irgendeines meiner Nachbarn.

Das hat nichts mit Moral oder Unmoral zu tun. Urteilen und verurteilen Sie nicht zu rasch, verehrter Herr Kollege. Ich gestehe, daß ich mich für leidlich tugendhaft halte. Ich bin kein Unmensch und so selbstlos und herzensgut wie jeder, oder sagen wir, jeder zweite von uns. Wäre ich vor die Wahl gestellt, ob ich lieber mein Haus in der Toskana oder das Leben von irgendwelchen tausend Leuten gerettet sehen will, so müßte ich nicht eine Sekunde überlegen. Ich würde den Tod so vieler Menschen herzlich beklagen, doch er würde mich nicht berühren. Mein Haus dagegen hat mich viel Zeit und Geld gekostet, seiner verlustig zu gehen, wäre für mich entsetzlich, eine Katastrophe. Ich gestehe Ihnen das alles durchaus mit einem leisen Unterton des Bedauerns, denn es bedrückt mich ein wenig oder doch gelegentlich, nicht zu reineren und menschlicheren Gefühlen fähig zu sein. Aber würde ich eine andere Wahl treffen, wäre das menschlich? Sie haben, wie Sie mir erzählten, ein Haus in Südfrankreich, und aus Ihren wenigen und zurückhaltenden Bemerkungen entnahm ich, daß es ein sehr annehmbares Domizil ist. Würden Sie bei dieser Frage wirklich anders als ich entscheiden? Finden wir uns doch damit ab, daß unsere Menschlichkeit recht eingeschränkt ist. Oder vielmehr, daß wir sie anders zu bestimmen haben, als es erstaunlicherweise üblich ist. Es ist eben menschlich, nicht allzu selbstlos zu sein. Nicht der Selbstsüchtige ist das Monstrum, monströs ist doch vielmehr irgendein mildtätiger Urwalddoktor oder eine barmherzige Schwester, die uns mit ihren vielen guten Taten ebensoviel Hochachtung abnötigen, wie sie uns auf die Nerven fallen. Wollen wir die Menschen und die Menschlichkeit nach jenen wenigen Exemplaren definieren, die uns so sehr erstaunen und doch merkwürdig fremd und rätselhaft bleiben? Wäre es nicht angebrachter und realistischer, das als menschlich zu bezeichnen, was der Mensch normalerweise betreibt? Die kleine Schäbigkeit, die uns einen Vorteil bringt, kennzeichnet sie nicht genauer das Menschliche? Ich denke, wir werden es viel besser mit uns aushalten können, wenn wir akzeptieren, was wir sind.

Die Tötung war unumgänglich, und so sehr ich mich auch innerlich sträubte und nach einem Spiel suchte, in dem ich bis zum Schluß mit mir angenehmeren und spielerischen Mitteln den Kampf führen konnte, ich hatte eine Grenze überschritten, hinter der es für mich keinen Weg zurück gab. Alle anderen Spiele würden einen Rückfall bedeuten, und ich konnte nicht unter meinem Niveau antreten, ohne mich zu langweilen.

Das waren unangenehme Monate für mich, lieber Fiarthes. Kennen Sie die Verzweiflung, einen Schritt gehen zu müssen, der notwendig und richtig und der dennoch widerwärtig ist, sehr, sehr lästig? Als Halbwüchsiger, als Schüler in Tiefenort, mußte ich meinem Onkel behilflich sein, wenn die Sickergrube ausgepumpt wurde. Ein ekelhaftes Geschäft, besonders im Hochsommer, da der Gestank sich dann weit üppiger entfaltet und eine sonst nie gesehene Fülle von Insektenarten um mich schwirrte. Wirklich ekelerregend. Aber natürlich, was wir taten, was ich tun mußte, war angebracht und nützlich und auch unumgänglich. Ich verstand durchaus, wie wichtig es war, die Jauchegrube zu leeren, mich störte daran nur der Umstand, daß ich es sein mußte, der an der Handpumpe zu stehen und schwitzend, was die Fliegen um so mehr anzog, den Schwengel zu bedienen hatte. Es war ein gräßliches Geschäft, dem ich nur zu gern entgangen wäre. Und auch diesmal grübelte ich in meinem Kampener Zimmer, um dem zu entgehen, was immer unausweichlicher wurde, aber mich belästigte.

Es dauerte lange, sagte ich, sehr lange, bevor ich mich dazu bereit fand, mein Moskau zu akzeptieren. Ich stand am Tisch, das Queue in der Hand, und grübelte. Es gab sehr fatale Tage in diesen zwei Jahren. Ich hatte die Lösung längst, aber wollte sie nicht annehmen und suchte daher nach einem anderen Weg, einem anderen Resultat. Ich spielte schlecht damals, wie ein Dilettant. Der Stock war nicht ruhig, die Bälle liefen ungenau, elegante Stöße blieben aus, und je ungeduldiger ich sie erzwingen wollte, um so erbärmlicher spielte ich. Ich suchte nach einer rettenden Alternative.

Ich hätte noch mehr in meine politische Arbeit einsteigen können, ich hätte in eine Partei eintreten können, schmeichelhafte und lukrative Angebote erhielt ich wiederholt von fast allen Parteien. Aber ich hatte den Besitz eines Parteibuches stets vermieden, um nicht von erwünschten Spielen ausgeschlossen zu werden.

Ich wollte nicht an Tischen arbeiten müssen, die selbst siegreich zu verlassen, weder meinen Ehrgeiz befriedigen konnte, noch als Fingerübung zu respektieren war. Ich war gewarnt, denn jene drei vorzüglichen Spieler, die ich als einzige meiner Partner ernst nahm, besaßen diese merkwürdigen kleinen Bücher, die sie als Mitglied einer Partei auswiesen und deren Besitz sie dazu zwang, sich gelegentlich wie Anhänger einer sektiererischen Heilslehre aufzuführen, jedenfalls bei offiziellen Anlässen. Bei unseren Partien spielten diese Zuordnungen keine Rolle, nicht bei diesen drei Männern. Sie verstanden es im Gegenteil, daraus Vorteil zu ziehen, wenn ein allzu einfältiger Partner auf einen Spielzug des Gegners setzte, der sich logisch allein aus dessen politischer Bindung herleitete. Doch ein wirklicher Spieler zerstört sich seine Chancen nicht durch irgendwelche Grundsätze und Glaubensartikel.

Nein, solche Abhängigkeiten behindern nicht das Spiel, aber sie stören bei der Aufstellung. Die Nominierung meiner drei makellosen Partner erfolgte stets von ihnen übergeordneten Gremien und Personen und aus einem Kalkül heraus, das innerhalb enger parteipolitischer Grenzen lag. Natürlich erfolgte auch meine Aufstellung von den gleichen Politikern, aber die Angebote kamen von wechselnden Seiten, ich konnte uninteressante Partien leichter ausschlagen, da ich zu nichts verpflichtet war, und selten, aber wiederholt konnte ich dadurch selbst entscheiden, auf welcher Seite des Tisches ich antrat. Gewiß, es gab auch Partien, für die ich auf Grund eines fehlenden Parteibuchs nicht aufgestellt werden konnte, sei es, weil zu interne Informationen dem Spieler offenbart werden mußten, sei es, weil man einem anderen Parteifreund gefällig sein wollte. Oder man verzichtete auf meine Dienste, weil man noch irritiert war, da ich eben für den politischen Gegner angetreten war und gewonnen hatte. Diese Einschränkungen fielen kaum ins Gewicht und konnten nicht annähernd die übrigen Vorteile aufwiegen.

Den Gedanken, in eine Partei einzutreten, verwarf ich rasch. Mit der Größe und Bedeutung eines Amtes wuchsen die Abhängigkeiten. Souveräne Entscheidungen sind in einer demokratischen Staatsform, die von einer natürlich nicht existierenden Gleichheit der Individuen ausgeht, nur möglich, wenn diese eine drittrangige Bedeutung haben, und ich war nicht bereit, mir bei meinen Spielen die Hände binden zu lassen oder sogar selbst zu binden, nur um auf die vorgeblich gleichermaßen berechtigten Ansprüche der Verlierer Rücksicht zu nehmen. Spiele sind nicht demokratisch, und wirkliche Spieler sind Aristokraten, die, auch wenn sie verlieren, keinen Moment an der einzig gültigen Legitimität zweifeln, der des Spiels. Wirkliche Spiele sind kein Volkssport. Die Masse hat weder Neigung noch Lust zu hasardieren, also den eigenen Ruin zu setzen, um alles zu gewinnen oder auch alles, wirklich alles zu verlieren. Die Masse will Sicherheit, nicht Spiel, und das trennt uns. Sie kann den Spieler nicht begreifen, und sie wird folglich nichts von dem verstehen, was ich tat. Das, lieber Herr Fiarthes, macht Ihre Aufgabe so schwierig, denn Sie sollen Blinden die Farben erklären. Sie haben ein Spiel übernommen, um das ich Sie von Herzen beneide. Und ich hoffe auf Sie. Ich setze auf Sie.

Verehrter Herr Kollege, ich beschwöre Sie, was immer ich Ihnen erzählte und noch zu sagen habe, alles soll Ihnen nur behilflich sein, mich hier herauszuholen. Ich spreche jetzt nicht von dem oder jenem Spiel, sondern von dieser Zelle. Ich bin gezwungen, in einem lächerlich schmalen Raum meine Tage zu verbringen. Von morgens bis abends starre ich auf Wände, die sich zu bewegen scheinen. Um diese Zelle zu vergessen, schreibe ich diesen Brief oder versuche zu lesen, aber wann immer ich mich an den Tisch setze, überfällt mich das Gefühl, daß die Mauer auf mich zu kommt, daß sie Tag für Tag einige Millimeter voranrückt, um mich immer mehr, immer weiter zu beengen. Sie werden lachen, wenn ich Ihnen gestehe, daß ich gelegentlich meinen Kopf ruckartig umdrehe und minutenlang eine Wand fixiere, um sie zu ertappen, um sie des Zusammenrückens zu überführen und durch meinen Blick zum Rückzug zu zwingen.

Ich habe mich überschätzt, Fiarthes, ich bin durchaus nicht in der Lage, die Haft lange zu ertragen.

Natürlich hatte ich mit einer Untersuchungshaft gerechnet, ich hatte durchgespielt, wie viele Wochen ich hier maximal zubringen müßte, und bislang hält sich alles im veranschlagten Rahmen. Noch beherrsche ich das Spiel. Allerdings vermutete ich nicht, daß die Leere einer kleinen Zelle mich derart zu strapazieren vermag. Sie frißt mich auf. Sie löscht mich aus.

Fiarthes, ich setze auf Sie.

Die niederdrückende Ohnmacht dieses Raums zerstört das Kostbarste in mir, meine Spielleidenschaft. Ich beginne, müde zu werden. Wenn ich diese Grenze werde überschritten haben, wird es kein Zurück geben, werde ich mich nicht mehr dazu aufraffen können, etwas so Mühseliges wie eine Leidenschaft wieder zu beleben. Dann bleibt mir nichts mehr, nichts.

Es würde mir helfen, Fiarthes, wenn ich einmal auf meinem Motorrad ein paar Straßen abfahren könnte. Ein, zwei Runden um das Untersuchungsgefängnis, mehr benötige ich nicht!

Habe ich Sie beunruhigt? Seien Sie unbesorgt. Wir beide werden mit Glanz vor Gericht auftreten und uns mit Gloria verabschieden. Nur munter, Herr Kollege, Sie sollen dort einen Schauspieler erleben, wie ihn noch keine Strafkammer sah.

Es sind die Leidenschaften, die uns am Leben halten, uns alle. Es sind sehr verschiedene Leidenschaften, aber es ist für uns alle das einzige Band, das uns im Leben hält. Und jede Leidenschaft ist gefährdet. Wir müssen nur einen Moment innehalten und rückschauen und uns selbst betrachten, so werden wir nicht ohne einen leichten Ekel eben das mit großer Distanz wahrnehmen müssen, was uns noch eben so viel Vergnügen bereitete, was uns vorwärts trieb, unser Leben war. Keins unserer leidenschaftlichen Spiele, heißen sie nun Geld oder Liebe, Macht oder Ruhm, verträgt einen kühlen Blick, wenn der erste Heißhunger einmal gestillt wurde. Die dann unvermeidliche Müdigkeit vermag die Leidenschaft, das Spiel und damit uns zu töten. Und wer das begriffen hat und die Nutzlosigkeit und das Ende seines Spiels ahnt, wird heftiger und blindwütiger spielen, wird versuchen, nach seinem Moskau zu greifen. Der Himmel bewahre uns vor einem kühlen Blick auf uns selbst.

Man spricht von Todessehnsucht, aber es wäre mindestens ebenso sinnvoll, von einer Lebenssehnsucht zu sprechen. Das Wagnis wird immer größer und sogar unmäßig, man wird tollkühn, nur um das eigene Leben zu erhalten. Um dem Tod zu entgehen, wird der Einsatz selbstmörderisch hoch. Scheinbar wahnsinnig gewordene Spieler kämpfen verzweifelt, aber nicht um zu gewinnen. Sie kämpfen um das Spiel. Der Gewinn ist zweitrangig geworden. Natürlich versuchen wir immer noch, siegreich zu sein, das ist ein unaufgebbares Merkmal des Spiels, aber in Wahrheit sind wir zu so aussichtslosen Partien angetreten, um uns das Spiel zu erhalten. Jeder Spieler weiß um sein Ende, und er weiß, es ist ihm um so näher, je erfolgreicher er war.

Welche Möglichkeiten wären Napoleon noch geblieben, wenn ihm Moskau geglückt wäre? Nur den erkämpften Sieg zu halten, das langweilte ihn schon in Frankreich und Europa. Es im riesigen Rußland lediglich zu wiederholen, hätte ihn umgebracht. Das eroberte Rußland, er hätte es einem seiner Generäle oder einem Verwandten überlassen. Und er selbst? Hätte er nach einem anderen Kontinent greifen müssen? Amerika interessierte ihn sehr, wie seine Korrespondenz belegt, aber wäre selbst dies nicht nur die Wiederholung eines bereits erfolgreich gespielten Spiels gewesen? Ich denke, Rußland und die Niederlage vor Moskau und Leipzig waren die eigentlichen Siege des Spielers. Denn nun folgte Elba, und der Imperator stand nach der für ihn befreienden Niederlage vor völlig neuen Spieltischen. Er konnte mit höherem Einsatz spielen denn je zuvor. Gewinn und Verlust waren ungleich größer geworden. Es ging nicht mehr um einen einzelnen Erfolg, nicht mehr nur um einen weiteren Schritt in seiner Spielerkarriere, nun ging es um alles. Jeder Sieg konnte alles bringen, jeder Verlust alles kosten. Es war das Königsspiel, für das er nun das Queue in die Hand nehmen mußte. Oder sollte ich nicht besser sagen: durfte. Nach diesem Spiel konnte nichts mehr folgen, und das war die wirkliche Gefahr, in der er schwebte. Dies zwang ihn, es unendlich zu spielen, also die Partie so zu gestalten, daß es mit der Endlichkeit seines eigenen Lebens in Übereinstimmung kam.

Der letzte Ball muß in dem Moment in der Tasche verschwinden, in dem der Spieler das Queue endgültig aus der Hand legt. Eine sehr reizvolle Aufgabe, aber extrem schwierig, wenn man akzeptiert, daß man das eigene Leben nicht mutwillig verkürzen darf. Man hat also nur die Möglichkeit, das Spiel so zu verzögern, daß der letzte Ball in der endgültig letzten Sekunde läuft. Ich will Sie nicht mit diesen Gedanken aufhalten, Fiarthes, aber kein Spieler kommt umhin, sich unablässig damit zu beschäftigen, denn da wir im Grunde jedes Spiel nur als ein Teil eines einzigen auffassen und betreiben, folgt notwendigerweise daraus, den Schlußpunkt in das Zentrum unserer Überlegungen zu stellen. Ich will Ihnen mit diesen Andeutungen nur zu verstehen geben, daß ich mich mit meinem Ende nicht nur längst abgefunden, sondern es als Spielpunkt fest etabliert habe. Nicht der Tod, mich könnte nur Unsterblichkeit oder, sagen wir, ein methusalemsches Alter irritieren. Derlei ist von mir nicht vorgesehen und würde mich daher zweifellos zum Selbstmord treiben. Denn die Spielmöglichkeiten auf dieser Erde sind leider arg begrenzt.

Nochmals, Verehrter, ich setze auf Sie. Beenden Sie rasch und für immer diese Zeit einer belästigenden und unwürdigen Behausung. Ich bin noch nicht am Ende meines Spiels, vielmehr bereite ich – soweit es die Begrenzungen meines Domizils zulassen – meine beiden nächsten Partien vor. (Unbesorgt, Herr Kollege, diesmal wird kein Blut vergossen. Ich gestehe, eine Tötung ist nicht reizlos, da dieser Stoß so außerhalb aller herkömmlichen Spielregeln liegt, daß er stets überrascht. Eine von gängigen Moralvorstellungen unbelastete Entscheidungsbereitschaft brachte stets Spielvorteile. Ich erinnere an Napoleons grandiosen Spielzug, das rebellische Paris mit Kartätschen Mores zu lehren. Der erste, der vor dem Einsatz der Artillerie nicht zurückscheute, mußte gewinnen. Gleichzeitig will ich Ihnen offenbaren, daß mir die Tötung von Bagnall im Grunde unangenehm war. Es gab zu viele mich belästigende Begleitumstände. Spielerisch war die Tötung uninteressant, sie langweilte mich eigentlich. Es war ein Stoß außerhalb meiner Eleganz. Dies war und ist nicht mein Spiel, und ich gedenke, Tötungen in Zukunft zu vermeiden. Freilich nur, wenn mein Spiel dadurch nicht gefährdet wird.)

Die Zelle ist hinderlich. Sie ist überdies eines Rechtsstaates unwürdig, denn mein Aufenthalt hier verletzt das unseren Gerichten so heilige Prinzip der Gleichheit vor dem Gesetz. Der Gesetzgeber hat aus einsichtigen und nachvollziehbaren Gründen festgelegt, daß ungleiche Personen nur durch vergleichbare, aber nicht durch dieselben Strafen zu verurteilen sind. Daher haben wir den Grundsatz verschiedener Tagessätze eingeführt, da ein Industrieller und ein ungelernter Arbeiter nicht durch dieselben Geldsummen gleichartig zu bestrafen sind. Der Arbeiter zahlt einen Bruchteil von dem, was der finanzkräftige Unternehmer aufzubringen hat, denn nur so ist zu vermeiden, daß der eine über Gebühr und der andere für ihn kaum bemerkbar verurteilt wird. Ein kostbares Recht, ein Gesetz weiser Gerechtigkeit. Die Zelle aber ist eine Verhöhnung dieses Rechtsprinzips, sie zerrüttet unser auch mir so kostbares Rechtssystem. Ich muß völlig unter denselben Bedingungen leben wie ein verurteilter Obdachloser, der hier immerhin in den Genuß eines für ihn ansonsten unerreichbaren Bettes kommt und eines für ihn reservierten Raums sowie einer regelmäßigen Verpflegung, die ihm zuvor nur selten zuteil wurde.

Mein Zellennachbar, ein kleiner Angestellter der Sparkasse, haust in einer Eigentumswohnung (sie ist gewiß erbärmlich, aber da er sie noch abzuzahlen hat, fürchtet er, im Fall seiner Verurteilung, um ihren Verlust). Für ihn ist die Einweisung in die Zelle eine Bestrafung, denn er mußte aus einem Loch in ein Hundeloch umziehen. Gemessen an ihm wurde der Obdachlose eher belohnt denn bestraft.

Mein Vergehen dagegen wird unangemessen, weil völlig unverhältnismäßig und überzogen geahndet. Ich weiß nicht, wie der Gesetzgeber tatsächlich eine merkliche Bestrafung eines Obdachlosen erreichen könnte, hier sehe ich durchaus ein schwer lösbares Problem der Rechtsgleichheit. Wenn aber der Gesetzgeber den Umzug meines Zellennachbarn in dieses Untersuchungsgefängnis als ausreichend und angemessen ansieht, ist es rechtlich fragwürdig und unzulässig, mich für eine vergleichbare Tat in eine gleiche Zelle einzuweisen, also mich zu einer unvergleichlich drastischeren Beschränkung der Lebensqualität zu zwingen.

Bei gleichen zu ahndenden Straftaten von unserem angenommenen Obdachlosen, von meinem Zellennachbarn (er tötete seine Frau, weil sie mit seinem Schalterkollegen schlief, offenbar folgte er hier einem vorchristlich-atavistischen Stammesritus, da er ansonsten eine durchaus durchschnittliche Intelligenz offenbart) und von mir selbst, ist bei der derzeit noch gültigen Strafgesetzgebung eine unverhältnismäßige Begünstigung der unteren Stände auszumachen und eine grundsätzlich übermäßige Benachteiligung des wohlhabenderen Teils der Bevölkerung, die gewisse Anzeichen von Sozialneid und utopischem Gleichheitsfanatismus des frühen neunzehnten Jahrhunderts erkennen lassen. Um mir eine entsprechende und übereinstimmende Unterkunft bereits während der Untersuchungshaft zuzumessen, wäre es rechtlich vertretbarer, mich in eine dieser Sozialwoh-

nungen einzuweisen, verschlossen mit den einem Gefängnis entsprechenden Sicherungen. Nur dann wäre
die Beschränkung des Lebensalltags und der soziale Fall
von mir und meinem Zellennachbarn vergleichbar.

Es spräche einiges dafür, mich in der Eigentumswohnung meines Ehefrauenwürgers und Sparkassenange-
stellten einzuschließen. Der triste Standard dürfte den
einer Sozialwohnung kaum überschreiten. Zudem würde
die Nutzung einer ohnehin leerstehenden Wohnung für
die Zeit der Untersuchungshaft wie des Strafvollzugs
das Budget der Behörde und damit den Steuerzahler
entlasten, und ich hätte die gewünschte erhebliche Min-
derung meiner Freiheit, meiner Lebenshaltung sowie
jene mich kränkende, ärmliche Behausung, wie sie der
Gesetzgeber verlangt. Es wäre eine Beeinträchtigung
meiner Freiheiten, die jener entspricht, die der Schal-
terbeamte neben mir erduldet, seit er in dieser Zelle
sitzt. Für mich hätte die zwangsweise Einweisung in
seine Eigentumswohnung (mit dem Charme von Sozi-
alhilfe) die gleiche abschreckende und pädagogische
Wirkung und wäre strafrechtlich für mich von gleicher
Bedeutung wie für ihn die Gefängniszelle. Überdies
wäre ich bereit, die fälligen Monatsraten für ihn zu
entrichten, was ihn nach seiner Entlassung vor Ver-
elendung bewahren und sowohl seine Resozialisierung
befördern wie die Fürsorgepflicht des Staates entlasten
könnte – vorausgesetzt, meine Reformvorschläge finden Gehör.

Gelegentlich, lieber Herr Fiarthes, würde ich dazu
gern Ihre Ansicht hören, im Moment aber bitte ich
Sie, sich ganz darauf zu konzentrieren, meinen Fall
voranzutreiben, um nach Möglichkeit noch vor der
Hauptverhandlung eine Aufhebung des Haftbefehls
durchzusetzen.

Die Zelle strapaziert meine Gelassenheit erheblich. Mir fehlt der Tisch in Kampen, ich vermisse meine alte Harley-Davidson. Meine Hände sind ruhig, noch ruhig, und ich habe mich vollkommen unter Kontrolle, aber ich spüre eine Nervosität in mir. Ich muß die Unruhe abstellen, sie behindert mich. Sie fördert nicht die konzentrierte Spannung, die ein Spieler kennt und zu nutzen vermag, diese Nervosität ist eine lähmende Reizung.

Ich beginne, um meine Fähigkeiten zu fürchten, um die Perfektion des Spielers!

Helfen Sie, Fiarthes! Bitte! Und bitte, rasch!

Ich komme zum Ende meiner Epistel, denn was jetzt noch zu berichten ist, versteht sich nahezu von selbst und ist bald erzählt. Bei meinen wieder häufiger werdenden Reisen nach Sylt hatte ich, trotz meines Unbehagens an der aufdämmernden Erkenntnis, nach einigen Partien begriffen, daß mir nur noch wenige Spiele verblieben waren, und diese alle eins gemeinsam hatten: sie führten mich aus einem vertrauten oder mir doch angenehmeren Umfeld hinaus. Es war eine Erfahrung, die jeder siegreiche Spieler eines Tages machen muß. Das fortgesetzte Gewinnen zwingt ihn, das Feld zu wechseln. Er kann weiter siegen, aber jedes Spiel ist ein Verlust, er siegt, ohne wirklich zu spielen. Er setzt nichts mehr, denn da er nicht mehr verlieren kann, ist jedes Wagnis verloren und damit auch der Einsatz. Das Spiel ist tot. Ein Preis des Erfolgs.

Die Politik hatte für mich ihren Reiz verloren. Er war nicht zu erneuern, indem ich weiter hinaufstieg. Die Zwänge würden größer werden und die Abhängigkeit, ich wäre Spieler und Marionette zugleich.

An eine militärische Laufbahn war nicht zu denken. Diese großen Spiele sind in Europa mit dem neunzehnten Jahrhundert wohl unwiederbringlich verschwunden. Der Souverän war unter die Kuratel des Apparats geraten. Das ehrenwerte Handwerk eines Oberbefehlshabers (wo gibt es in Europa noch Spielfelder mit diesen Dimensionen, wo noch autarke Spieler, die tatsächlich Schicksal spielen) ging unter und verlor sich in einem bürokratischen Geflecht unsinnigster Abhängigkeiten. Man kann nicht spielen und dabei Mehrheiten berücksichtigen. Und mit dem Spiel schwindet das Leben.

Selbst die Masse bemerkt diesen Verlust von Leben und ist irritiert und verängstigt. Sie stürzt immer heftiger auf alles, was ihr Ersatz für die verlorene Existenz verspricht. Diese jämmerlichen Surrogate von Leben und Wirklichkeit, Lotto und Sport, Polizeiberichte und Spielautomaten, sie können nur für Minuten oder Stunden die in sie gesetzten Erwartungen erfüllen. Und die Masse, unfähig zu erkennen, daß man sie mit gezinkten Karten abzuspeisen sucht, spielt immer heftiger, je deutlicher sie ahnt, daß sie nie gewinnen wird. Aber ihr kann keiner helfen, denn das einzige, was diesen Leuten ein Gefühl von Leben gibt, ist die Arbeit und die Unsicherheit, aber eben diese zu verringern, ist die Masse unentwegt bemüht. Sie hat sich fast selbst um ihr Leben gebracht, denn mit der gewonnenen Freizeit und den erkauften Garantien auf ein ungefährdetes Leben verlor sie dieses.

Die Menge kann nur als Menge existieren. Aber diesem Schicksal sucht sie zu entgehen. Die Masse trachtet danach, Individuum zu sein. Ein lächerliches, ein wahrhaft skurriles Vorhaben. Es mußte das Unglück der Menge wie jedes einzelnen ihrer Mitglieder befestigen. Doch die Masse ist immer stumpfsinnig und greift nach dem kleinen Vorteil, der für sie sichtbar ist, unfähig zu erkennen, zu welch unvermeidbaren Folgen dieser Schritt führt, führen muß. Ihr wirkliches Glück, der einzige Zustand, in dem der größte Teil der Menschheit in einer ihm angemessenen und zuträglichen Weise zu leben imstande ist, wurde längst verspielt. Von ihr selbst verspielt, denn sie selbst war es, die gegen ihr Glück revoltierte, weil der Menge ihr Knechtsdasein unmenschlich und eine bedrückende Last schien.

(Es ist ein scheinbar etwas altertümlicher Begriff. Wir haben in dem letzten Jahrhundert andere Namen gefunden und sprechen nun lieber von Arbeitern und Arbeitnehmern, von Angestellten und freifesten Mitarbeitern oder was es da noch an zeitgemäßen Wortschöpfungen gibt. Doch ich denke, wir beide können uns rasch darüber verständigen, daß all diese neuen Begriffe und Prägungen auf einen im Grund unveränderten Sachverhalt verweisen und wir uns daher keiner anachronistischen Weltsicht schuldig machen, wenn wir an dem summierenden und altehrwürdigen Namen des Knechts festhalten. Falls Sie, verehrter Fiarthes, befürchten, daß dieser Ausdruck geeignet ist, Mitmenschen zurückzusetzen oder gar zu kränken, so bitte ich Sie, das Wort nach Belieben auszutauschen und eine freundlichere Kennzeichnung aus dem reichen Angebot unserer Zeitgenossen zu wählen. Auch ich unterschätze keineswegs den Wert eines Titels, und wer sich als Herr Ingenieur oder Herr Doktor ansprechen lassen kann, muß nicht überflüssigerweise gekränkt werden, indem man dennoch auf dem Knecht beharrt.

Mit einem gewissen Stolz, mit dem Stolz eines Innungsmitgliedes der kleinen Gemeinschaft der Spieler, füge ich hinzu, daß es Napoleon war, der daraufkam, seine Knechte mit einer Fülle von Titeln und Orden abzuspeisen. Er hatte erkannt, daß für den Knecht die tönende Anrede und das bunte gestanzte Blech alles bedeuten und er bereit ist, dafür auf einen wirklichen Gegenwert für seine erbrachte Leistung zu verzichten. Zudem manifestiert die Gabe den generösen Spender als Herrn, und der Belohnte akzeptiert – gerührt und mit Dankbarkeit – seine Stellung als Knecht. Der Ausgezeichnete versucht keineswegs, seine beengende und eigentlich würdelose Stellung zu verlassen. Die verliehenen Schmuckstücke, die Orden und Titel, sind vielmehr die Ingredienzen des Knechts. Er verbleibt in seiner natürlichen Bestimmung, steigt allenfalls zu einer Art Oberknecht auf, zu einem Rottenführer, einem Hauptabteilungsleiter mit nationalem Verdienstkreuz. Wie könnte er – sollten Sie ihn vor die Wahl stellen – in seinem kurzen Leben auf diesen Knechtshimmel verzichten einer ungewissen Freiheit zuliebe? Wie soll er etwas achten und begehren, was sein Herr belächelt und zutiefst verachtet: die Freiheit eines Knechts.

Erlauben Sie mir daher, von Knechten zu sprechen, auch wenn der Ausdruck aus der Mode kam. Stoßen Sie sich nicht an einem Wort, das nur den einen Mangel hat, nicht von der geläufigen Unschärfe unseres Jahrhunderts geprägt zu sein.)

Gewiß, die Menge fühlt sich benachteiligt, da es über ihren Verstand geht, ihre Stellung als eine ihr durchaus angemessene und besonders zuträgliche zu begreifen. Dem Knecht hat seine Geburt einen vortrefflichen und gebührenden Platz zugeteilt, der vielleicht etwas anspruchslos, aber für ihn doch recht und billig, vor allem aber befriedigend war. Dieses natürliche Glück hat er sich zerstört. Stattdessen stellt er unsinnige Ansprüche und streckt seine Hand nach einem Leben aus, das zu ertragen er nicht in der Lage ist.

Geben Sie geborenen Knechten die Freiheit, und Sie machen sie für immer unglücklich. Die Freiheit, das ist für sie das Unheil. Im Joch waren sie gedankenlos unzufrieden, nun ängstigt sie ihre Freiheit und bewegt sie zu den unsinnigsten Verrichtungen, um diese freie Zeit, den natürlichen Vorboten der Freiheit, zu vertreiben. Und uneingestanden, doch bereits halb bewußt, sehnen sie sich nach den Stunden, in denen sie wieder die ihnen bekömmliche Rolle übernehmen können, und der erneute Beginn ihrer Arbeit erzeugt ein ihnen selbst rätselhaftes Gefühl von Erleichterung. Die Arbeit befreit sie von der unerträglichen Last der Freiheit. Sie kehren endlich heim in den ihnen gemäßen Zustand, zurück in ihr fast verlorenes Paradies, das sie leichtfertig verließen und fast verspielten, den Worten einer Schlange vertrauend, die ihnen so süß wie falsch von ihrem angeblichen Recht auf ein anderes, ein freieres Leben vorschwärmte. Auch die Knechte haben ein Paradies. Es ist ein Paradies der Knechte, gewiß, aber für Knechte eben ein Paradies und zudem das einzige, das ihnen offensteht. Freiheit ist ein göttliches Spiel, aber wer dafür nicht geboren ist, wird durch die tödliche Gefahr, die die Freiheit auch enthält, verschreckt und geängstigt und lebenslang unglücklich. Es hilft nichts, ihm die Dimensionen und Möglichkeiten aufzuzeigen, die ihm in der Freiheit und nur durch sie zugänglich sind, er wird stets und wie gebannt auf die Schrecknisse starren, die ihm aus der nahezu unendlichen Weite der Freiheit entgegenleuchten.

Die Masse sucht nicht die Freiheit, sondern allein das Paradies. Und das Paradies ist der Ort des Herrn, in dem alle anderen Knechte sind, glückliche Knechte, glückselige Knechte. Wer will es ihnen verübeln, sich danach zu sehnen, dorthin zu drängen, wo eben reichlich das verteilt wird, was die Masse für ihr Glück benötigt: Sicherheiten, unerschütterliche Werte, eindeutige Handlungsanweisungen und eine Moral mit der Möglichkeit und der Macht, zu belohnen und zu bestrafen. Ein durchaus angenehmes Paradies. Man sollte Knechte nicht überfordern.

Bitte, Verehrtester, hier spricht kein Hochmut. Sie mißverstehen mich, wenn Sie vermuten, daß ich dies alles auch nur mit dem geringsten Anflug von Herablassung sage. Kein wirklicher Spieler ist selbstgefällig oder gar hochmütig. Er weiß, was er ist, und er ist sich daher seiner sicher. Er ist stolz, und er mag arrogant und unverschämt wirken, aber Anmaßung ist ihm fremd. Er meidet und fürchtet sie, denn jeder Dünkel trübt den klaren Blick und behindert das Training der Seele und der grauen Zellen. Er muß beweglich bleiben, nicht einmal seine Nerven dürfen Fett ansetzen. Nein, ich sage es ohne jede Selbstgefälligkeit und mit einem mitfühlenden Verständnis. Eine Wahl ist zu treffen zwischen der Freiheit und dem Paradies, und da ich die Schönheiten und die Schrecken der Freiheit kenne, akzeptiere ich die Entscheidung der Menge nicht nur, sondern begrüße sie. Ich billige sie, mehr noch: sie ist mir sehr recht, denn ich lebe lieber inmitten einer etwas dumpfen, aber glücklichen Herde, als unter zur Freiheit verdammten Unglücklichen, denen ihre Freizeit eine unerträglich Belastung ist, die sie mit den merkwürdigsten Betätigungen zu vertreiben und zu überstehen suchen.

Wie unglücklich ist ein Knecht, der Freizeit hat, eine Zeit, über die er allein entscheiden soll. Er hat eine Arbeit, die ihn nicht glücklich macht, unter der er möglicherweise sogar leidet und über die er ganz sicher klagt, aber er teilt dieses Schicksal mit einem Heer

150

von Knechten, so daß es ihm als unumgänglich und normal erscheint, als das Leben schlechthin, an dem es nichts zu bezweifeln gibt. Er ist jahraus, jahrein einem fremden Willen unterworfen, nimmt Anweisungen entgegen, um ihnen alsbald zu genügen, und gehorcht jeder Dienstanordnung. Sein Leben erfüllt sich im widerspruchslosen Gehorsam und in der Ausführung von Weisungen. Der fremde Wille ist sein Dasein. Der fremde Auftrag, den er in seinen Dimensionen nicht begreift, ist sein Glück, von dem er nichts weiß. Sobald er den Raum dieser Hörigkeit verläßt, die Maschinenhalle oder das Redaktionszimmer, das Büro einer großen Gesellschaft oder einer kommunalen Behörde, tritt er in einen Bereich, in dem er unbehaust ist. Die Freizeit, die er herbeisehnte und anstrebte, ist der ihm feindliche Ort, den er rasch mit den ihm vertrauten Abhängigkeiten ausfüllen muß, um der Einsamkeit, der Kälte und den eigenen Entscheidungen zu entgehen. Er verspürt den Hauch einer Ahnung von Freiheit, und ihm dämmert, daß er diese freie Zeit töten muß, um der Gefahr zu entgehen, er selbst zu sein. Ein freier Knecht zu sein, das ist nicht nur unsinnig, es würde seine Möglichkeiten übersteigen, das Leben zu meistern.

Er weiß, in der Stunde seines Todes ist er unwiderruflich frei. Dieser Gedanke ist für ihn schrecklich, er ist noch im Tod für ihn tödlich, und er tröstet sich mit der Hoffnung, bald einem neuen Herrn unterworfen zu sein, der über ihn richtet und bestimmt, der ihm für alle Ewigkeit einen Platz zuweist, wo er das ihm Aufgetragene leisten darf. Denn sein Paradies ist die endgültige Knechtschaft, nicht mehr unterbrochen von Zeiten, die ihn nötigen, die ihm lebensnotwendige Unterordnung durch zusätzliche Verpflichtungen selbst herzustellen, durch eine Unterwerfung unter die Freizeitangebote von Medien und Reisebüros, der Veranstalter des Sport- und Musikgewerbes. Erst hier führt das gemeinschaftliche Erlebnis den Knecht wieder in seine Bestimmung, das von ihm akzeptierte Vergnügen beendet seine Freizeit und damit die Gefahr, überfordert zu werden. Seinen durch Generationen und über Jahrhunderte erarbeiteten und von ihm selbst mittels seiner Arbeitsleistung erworbenen Anspruch auf freie Zeit überliefert er, verschreckt vom Anschein der Freiheit, der Freizeitindustrie, die diese Zeit wunschgemäß und gründlich vernichtet. Die so schwer erkämpfte und mühsam erreichte Freizeit übergibt er eiligst einer fremden und ihn bestimmenden Institution, um der Verantwortung für sich selbst zu entgehen, um sich den Befehlen der Freizeitindustrie unterordnen und um in die Gemeinschaft zurückkehren zu können. Denn Freiheit, selbst in der beschränkten und borniierten Form von Freizeit, ist für den Knecht die Hölle. Und so ist folgerichtig auch sein himmlisches Paradies ein Ort einigender Gemeinschaft unter einem fremden Willen, unter einem richtenden und befehlenden Herrn.

Alles, was ich Ihnen hier sagen will, ist, daß es auf dieser Erde verschiedenartige Geschöpfe gibt, die alle ihrer Natur gemäß leben müssen, wenn sie nicht völlig unglücklich sein wollen. In den letzten Jahrhunderten und Jahrzehnten erlebten wir die unterschiedlichsten Menschheitsbeglücker. Ihnen allen gemeinsam war das Bestreben, die natürlichen Grenzen des Individuums zu mißachten, ihm größere Freiheit zu verschaffen, den ihm bestimmten Lebensraum zu erweitern. Es erinnert mich an Spiele meiner Kindheit, als wir Fische aus dem kalten und nassen Element eines Baggersees befreiten und sie auf den Strand warfen, damit auch sie die Sonne genießen konnten.

Werden sie nicht ungeduldig, verehrter Herr Kollege, auch diese Bemerkungen gehören in den Brief, und zwar genau an diese Stelle, um Ihnen jene Aufklärung geben zu können, um die Sie mich baten und die ich Ihnen schulde.

Am 12. Mai 1988 verließ ich Kampen und fuhr nach Berlin zurück. Ich hatte fast zwölf Tage lang am Tisch gestanden, und mein Spiel war wieder sicher und genau geworden. Ich hatte mich in diesen Tagen entschieden und alle Möglichkeiten, die sich ergeben konnten, durchgespielt. Was mir zu tun übrigblieb, war lediglich, die erfolgreich beendete Partie in die banale Realität umzusetzen. Und während ich in Berlin dafür die Vorbereitungen traf, beschäftigte ich mich bereits mit dem nächsten Spiel.

(Ja, Verehrtester, ich spiele weiter, selbst hier in der Zelle, und obgleich man mir einen Billardtisch verweigert. Man verweigerte mir den Besitz und das Aufstellen eines solchen Tisches, trotzdem ich mich bereit erklärte, für alle entstehenden Kosten aufzukommen und dafür auf andere, hier übliche Möbel zu verzichten. Das ist für mich weit mehr als nur bedauerlich. Wenn ich auch nur die geringste Chance sähe, ich würde darum prozessieren. Eine Zelle mit einem Billardtisch, ich wäre mit meinem Schicksal versöhnt. Der Aufenthalt, zu dem ich genötigt wurde, würde sich von einem langen, einem überlangen Besuch meiner Kampener Wohnung nur unwesentlich unterscheiden. Die übrigen Unannehmlichkeiten hier und Genüsse dort sind, wenn auch nicht unerheblich, so doch für mich nicht wesentlich.)

Ich hatte ein vollkommenes Spiel, vollkommen in der

Planung wie in der Ausführung, nur noch in die platte Realität zu übertragen, so daß in den grauen Zellen genügend Freiräume waren, um ganz leicht und locker das nächste Turnier zu überdenken. Ich lasse die Bälle dabei fast ungezielt laufen, ich will mich von entstehenden Figurationen überraschen und anregen lassen. Wichtig ist vor allem, daß die Spiele sich überlappen. Denn dadurch entgehe ich den schwarzen Löchern meiner Leidenschaft, den dunklen spiellosen Wochen in meinem Leben, in denen ich verzweifelt etwas Neues zu konstruieren suche, dem überanstrengten Eifer meiner Bemühungen, die nur zu oft zum Scheitern verurteilt sind. Ich vermeide es so, von meiner Todesangst getrieben zu werden. Die Monate, bevor ich mich zu der Tötung entschloß, werden mir mit ihrem Schrecken unvergeßlich bleiben.

Es ist nicht eigentlich schwierig, dieser Lebensleere zu entgehen, denn jedes wirkliche Spiel wird immer wieder einmal aktiviert und bedarf dann neuer Überlegungen und Balläufe. Und eben dies war nicht der geringste Reiz in dem politischen Spiel, da eine beendete Partie durch plötzlich neue und dann grundsätzlich veränderte Konstellationen wieder unentschieden wurde und neue Stöße verlangte. Und wer dies zuvor berücksichtigt hatte und darauf vorbereitet war, hatte bei der erneuten Spielaufnahme fast immer einen spielentscheidenden Vorteil. Wirkliche Spiele sind so unendlich wie das eigene Leben, sind also ausreichend für uns.

Meine Krise als Spieler Mitte der achtziger Jahre war folglich nicht durch ein überraschendes Finish meiner Spiele verursacht, ich verdankte sie einem Zwiespalt. Einerseits erkannte ich die Notwendigkeit, die Spielklasse zu wechseln, um einer sich andeutenden Wiederholung zu entgehen, andrerseits scheute ich vor der sich immer unabweisbarer abzeichnenden Konsequenz zurück. Sie können es psychologisch deuten, als eine Scheu vor der Tötung (das ist für die Verhandlung möglicherweise von Bedeutung, wenngleich ich hoffe, daß Sie mit einer originelleren und sorgfältiger erarbeiteten Strategie aufwarten werden), und tatsächlich war ein körperlich spürbarerer Ekel vor dem für das Gericht und die Öffentlichkeit entscheidenden Ballstoß nie völlig zu verdrängen. Doch derartige Betrachtungen führen in die Irre. Ein Spieler wird die Bedeutung von psychologischen Einflüssen nie leugnen und keinesfalls übersehen, denn sie sind bei der Bewertung des Gegners nicht zu vernachlässigen. Aber auch sie sind lediglich Momente des Spiels, ihm unterworfen und in seine Strategie eingebettet. Der Spieler kann sie nutzen, aber er darf ihnen keine übermäßige Bedeutung beimessen, da sie gleichermaßen Erkenntnisse vermitteln können wie Fehlinformationen. Ich bin daher, auch hier Napoleon folgend, immer bestrebt, sie völlig zu übergehen in dem Wissen, daß die Spielregeln und der angestrebte Gewinn sich letztlich alles unterordnen. Ich vermeide überflüssige und spielerisch unergiebige Nebenwege, wenn ich gewisse Signale der Psyche meines Gegners, diese absichtlich oder unfreiwillig offenbarten Informationen, übersehe und mich stattdessen auf das Ziel konzentriere (und auf meine Intuition und mein Geschick verlasse).

Scheu vor einer selbst unerläßlichen Tötung war auch bei mir gewiß vorhanden. Eine menschliche Regung gewissermaßen (die ja immer ein schönes Spiel verderben kann). Aber gravierender waren spielerische Erwägungen, vergleichbar denen eines Sportlers, der als Läufer startete und, nachdem er dort alle erreichbaren Siege errang, sich gezwungen sieht, in einer anderen Disziplin anzutreten, nur um nicht bereits erkämpfte Medaillen nochmals zu gewinnen. Und um sich nicht zu langweilen! Auch er wird, zu einer anderen Sportart gezwungen, Hemmungen zu bekämpfen haben. Die ihm vertrauten Begleitumstände seines Wettbewerbs muß er aufgeben und sich völlig veränderten und ihm möglicherweise unangenehmen Spielregeln unterwerfen. Das können Belanglosigkeiten sein, die ihm jedoch den Spaß und Reiz des Spiels verderben, zumindest erheblich einschränken. Falls er beispielsweise künftig als Ringer antritt, muß er es hinnehmen, sich beständig mit fremden Körperteilen beschäftigen und intensiv den Schweißgeruch einer Person einatmen zu müssen, die ihm ohnehin zuwider ist. Oder, erzogen von der gewissermaßen englischen Zurückhaltung seiner Sportart, beeinträchtigt es ihn, einem Gegner mit grober Körperlichkeit zu begegnen und ihm die eigenen Ausdünstungen zuzumuten.

Sie verstehen, im Grunde scheute ich vor etwas zurück, was mir nicht in die Wiege gelegt war. Ein Spiel mit weniger abstoßenden Ballstößen wäre mir lieber gewesen. Das war, vermutlich, ein Ergebnis meiner Erziehung. (Vergessen Sie nicht, ich stamme aus den gehobenen Kreisen Stettins. Für meine Mamsell und Kinderfrau, von meiner Mutter gar nicht zu reden, war vieles mit einem Degout versehen. Bevor mein Vater starb – er segnete genau vor einem Jahr in Boppard das Zeitliche, ich ließ alles Nötige von Dres. Wieser Nachfolger regeln –, hätte ich trotz der drängenden Notwendigkeit und aller Vorbereitungen die Tötung nicht ausführen können. Eine unerklärliche Hemmung. Wir alle sind Opfer unserer Erzieher.)

Ich sprach von meinem Moskau, denn ich gehe wohl

nicht fehl, wenn ich vermute, daß auch Napoleon vor diesem Spiel zurückscheute. Es waren die kleinen Nebensächlichkeiten, die diesen Feldzug außerordentlich, aber auch außerordentlich unangenehm machten, die ihn aus den bisherigen und gewohnten Partien heraushoben. Italien und Spanien, die Niederlande und Deutschland, hier operierte er in vertrauten Landschaften. Mit Moskau veränderten sich die geläufigen Regeln. Bälle und Queues, die Stöße und das System, auch Brücke, Tempi und Winkel, das blieb natürlich unverändert. Doch es gab im Umfeld der eigentlichen Partie zu viele Faktoren, die auf das Spiel einwirkten und die schwer einzuschätzen, kaum vorauszuahnen und überhaupt nicht zu beeinflussen waren. Moskau, das war ein fast asiatisches Spiel für ihn. Er mußte in einem anderen Klima antreten und hatte in sein Kalkül verschiedene unberechenbare und nicht vorauszusehende Einflüsse als beständige Unbekannte aufzunehmen. Wie stark waren die Wirkungen, die die ungewohnten Temperaturen, eine gänzlich andere Landschaft, ein ungewöhnliches Essen, befremdliche Quartiere auf sein Spielmaterial ausüben würden? In seiner Taktik und Strategie, mit denen er bislang brilliert hatte, mußte er nun Unwägbarkeiten beachten, die nicht mehr zu planen waren, sondern auf die er nur noch reagieren konnte, die also nicht mehr Teil seines Spiels waren, da er sie erst nach ihrem unvermuteten Auftreten wahrnahm. Die Bälle liefen anders, als der europäische Stoß erwarten ließ. Anschlag- und Ausfallwinkel folgten fern von Paris anderen Gesetzen. Ein direkter oder ein Contrestoß war nun nur durch eine anders geartete Motivation der Truppenteile zu erreichen. Und nicht allein das Spielmaterial, der Spieler selbst befand sich in einem ihm völlig unvertrauten Umfeld, das zu erkunden er zuvor keine Gelegenheit gehabt hatte und das er sich während des laufenden Turniers, gewissermaßen nebenbei, zu erschließen hatte.

Bedenken Sie, persönliche Unversehrtheit und Wohlbefinden sind für jeden Spieler ein notwendiges Fundament, um seine Kunst entfalten zu können. Er benötigt gewisse kleine, fast lächerliche Zeremonien, um frei von jeder Störung und Beeinträchtigung sein Spiel zu spielen. In außerordentlichen Situationen (vor Moskau beispielsweise oder in einer Zelle) sind daher die spielerischen Möglichkeiten eingeschränkt. Allein ein falsches Frühstück kann eine Partie so nachhaltig beeinflussen, daß sie mißlingen muß, und ein angemessenes Dejeuner war für Napoleon damals gewiß so unerreichbar wie derzeit für mich. Ich gestehe Ihnen sofort ein, daß eben diese Schwierigkeit ihren Reiz hat, weshalb wir uns ungezwungen darauf einlassen, genötigt allein von dem unumgänglichen Verlangen nach einem alles fordernden Spiel. (Und, natürlich, um einem lebensbedrohenden Überdruß zu entgehen.)

Auch ich bin in meine augenblickliche Lage durchaus freiwillig geraten, jedenfalls sehenden Auges. Die Zelle war in meinem Plan enthalten, ein mißlicher Bestandteil der Partie. In früheren Spielen gab es unangenehmere Momente, die ich auch bewältigte. Eben das, was einen Spieler so nachhaltig verstören kann, daß er mühelos zu gewinnende Partien verliert, kann ihn auch zu höchsten Leistungen treiben, sobald ein aussichtslos gewordenes Spiel ihn derart reizt, daß er über alle – vor allem über seine – Grenzen zu gehen vermag.

Wenn ich nochmals an Napoleon erinnern darf: Als er nahezu seine gesamte Armee in Rußland verspielt hatte und ganz Europa aufatmete und bereits jubelte, hielt er sich nicht mit Verzweiflung über diese vollständige Niederlage auf, sondern eilte nach Paris, um Aushebungen vornehmen zu lassen und das erneuerte Spielmaterial sofort in den Osten zu werfen. Er hätte mit der erneuerten Armee Frankreich sichern können, aber er setzte den ausgetauschten Spieleinsatz nur ein, um wieder um den ganzen Gewinn zu kämpfen. Diesen großen Spieler beschuldigt man, daß er damals das vorteilhafte Angebot eines Friedens ausschlug, das ihm Österreich machte. Er hätte die Rheingrenze retten können und Italien. Man spricht von einem falschen Stolz und einer fehlerhaften Einschätzung der Kräfte. Das ist lächerlich. Das ist unsäglich lächerlich. Er war ein Spieler und kein Buchhalter, der sich um Schadensbegrenzung und einen möglichst vorteilhaften Bankrott zu bemühen hatte. Napoleon besaß fast alles, und er sollte sich künftig mit wenigem zufriedengeben? Er mußte alles setzen.

Ein Spieler kann alles verlieren, ohne zu klagen oder zu verzweifeln. Er kann mit nichts leben. Aber er wird, solange das Spiel noch irgendwie zu bewegen ist und er einen noch so geringen Einsatz in seiner Hand hält, stets um alles kämpfen. Er braucht keine Sicherheit, aber er stirbt, wenn das endgültig letzte Spiel gespielt ist. St. Helena, das war die Hinrichtung eines Spielers. Die verbündeten Monarchen scheuten vor der direkten Exekution ihres gefürchteten und scheinbar nie wirklich zu besiegenden Feindes zurück, um sich nicht an einem Mythos zu versündigen. Aber sie zerschlugen das Spielbrett, jedes seiner Spielbretter, und dieser große Spieler starb, als hätte man ihm den Sauerstoff entzogen.

Sie verstehen, weshalb ich Sie so ernsthaft und geradezu beschwörend darauf verweise. Für einen Spieler gibt es keinen halben Sieg. Auch ich will alles, und ich werde mich – gleichgültig wie Sie mich zu verteidigen gedenken – eher mit nichts als mit einem jämmerlichen Kompromiß zufriedengeben (es sei denn, dieser ist die Eröffnung eines neuen, lohnenden Spiels).

Lange vor meinem Besuch in Kampen war entschieden, daß ich ein neues Spiel starten mußte. Die Spiele der Politik verloren für mich an Interesse. Und schlimmer: sie begannen mich zu erschöpfen. Damals auf den Knien von Sophia und Therese und Johanna, damals in Vaters Fabrik, schien mir die Welt unendlich zu sein, unerschöpflich in ihren Möglichkeiten des Spielens. Eine weibliche Brustwarze zu berühren, so vermutete ich, würde mich lebenslang faszinieren. Tatsächlich reduzierte sich dieser Reiz in den folgenden Jahrzehnten doch erheblich auf biologische Vorgänge und einen sich wiederholenden und weitgehend überraschungslosen Ablauf nach den dazugehörigen Spieleröffnungen.

Es gab auch bei mir eine Zeit häufiger Partnerwechsel, über die nichts zu berichten ist, was Ihrem Verständnis meines Falles zugute kommen könnte. Es waren Affären und Szenen, die sich wohl in nichts von beliebigen Vorfällen ähnlicher Art, über die wir schon beruflich ausreichend unterrichtet sind, unterscheiden. Sie haben für Außenstehende keine Überraschungen zu bieten (leider waren sie auch für mich entnervend gleichförmig). Es dauerte einige Jahre, bis ich begriff, daß ich nur deshalb jede Dame so rasch verließ und zur nächsten eilte, weil der Reiz dieses Spiels für mich längst verloren war und ich den Einsatz künstlich – und vergeblich – zu erhöhen trachtete, indem ich mich wie ein Schachspieler zu zerstreuen suchte, der der Langeweile nicht ebenbürtiger Partner entgehen will und deshalb gleichzeitig an verschiedenen Tischen zum Turnier antritt.

Jedes Alter hat seine Spiele, und ich bedauere nicht den Verlust jener, deren Reiz für immer verschwand, denn ich verlor sie lediglich, weil sie einem zu einfachen Mechanismus folgten. Ich verlor sie in dem Augenblick, als ich einen aufklärenden Blick in ihr Getriebe werfen konnte. Was mir abhanden kam, hatte mir für einen gewissen Zeitraum ausreichend Beschäftigung verschafft, und ich war glücklich genug, immer ein neues Spiel zu finden, das mich am Leben hielt. Gelegentlich glaubte ich, etwas gefunden zu haben, das mich lebenslang beschäftigen konnte, aber von dieser Hoffnung habe ich mich inzwischen verabschiedet. Die Welt ist nicht vollkommen, und so kann es in ihr keinen Reiz geben, der vollendet ist und folglich nicht irgendwann schal werden muß.

Tröstlich ist mir der Gedanke, daß jedes neue Spiel das vorherige übertrifft, übertreffen muß, da es imstande ist, den Vorgänger abzulösen. Jedes neue Spiel fordert mich stärker und ist somit ein angemessener Wechsel. Und irgendwann, auch das weiß ich, werde ich auf St. Helena landen müssen, und wie jeder Spieler habe ich die gewiß trügerische Hoffnung, die Insel erst in der Stunde meines Todes zu betreten.

Ach, Fiarthes, vor St. Helena fürchte ich mich. Es muß eine schreckliche Insel sein. Jedes neue Spiel ist im Grunde nur dem Verlangen geschuldet, dieser Todesinsel der Spieler zu entkommen. Alles, was uns am Leben hält, ist das Bemühen, die Langweile zu fliehen. Und ich weiß, ich werde verlieren, ich muß verlieren, eines Tages, dann, wenn alle meine Spiele gespielt sind. Und sollte ich diesen dummen Moment erleben müssen, so habe ich bereits heute dafür Vorsorge getroffen. Dann wird es noch ein allerletztes Spiel geben, bei dem ich gewiß nochmals gewinnen werde, ein letztes Spiel, das ich gewinne, indem ich es verliere. Sehr reizvoll, nicht wahr!

Ich hatte mich also keineswegs leichtfertig für eine Tötung entschieden. Es gibt moralische und möglicherweise sogar biologische Hemmungen, denen ich ebenso wie jeder andere Mensch unterworfen bin und die zu überwinden Kraft kostet. Bis zuletzt und noch in jenem Moment, in dem ich diesen Ball zu stoßen hatte, ekelte mir davor. Noch heute, da die Partie längst fortgeschritten ist und ich mit völlig anderen Bällen beschäftigt bin, überkommt mich ein ekelerregendes Gefühl, wenn ich mich dieses leider unumgänglichen Aktes erinnere. Es ist keine Scham und schon gar kein Bedauern, da ich keine Wahl hatte. (Notwehr, Herr Kollege, definiert sich ja eben aus der Abwesenheit einer Alternative in einer bedrohlichen und für einen selbst gefährlichen Situation.) Es ist lediglich ein fatales, schwer abweisbares Gefühl, das mich ebenso peinigt, wenn ich an eine durch eigenes Versagen und dümmliche Fehler mißglückte Partie denke.

Dabei kann ich hier nicht von einer Schuld oder einem Kunstfehler sprechen, alles verlief nach meinem Plan, oder vielmehr: jeder Moment des Spiels, einschließlich jenes der unerläßlichen Tötung, entsprach korrekt dem in Kampen konstruierten und bis zum Ende vollzogenen Spiel. Die Tötung war ein unangenehmes Detail der Partie. Davor zurückzuschrecken hieße, als Spieler einen Offenbarungseid zu leisten. Denn so, wie erst der verlierende Spieler seine Qualität zeigt – nicht etwa durch eine unangebrachte und überflüssige heroische Haltung, mit der er einen Verlust hinnimmt, sondern in der Aktivität, die er in dem Augenblick zu entwickeln imstande ist, wenn für ihn nichts mehr zu gewinnen ist –, so erweist sich seine

Disziplin und seine in nichts und von nichts angreifbare Charakterstärke im Vollzug der fatalen und mißlichen Spielmomente.

Eine Armee für die nächste Schlacht zu retten, indem man jede überflüssige Belastung abwirft, das macht den Spieler. Was für ein Spieler, der fähig ist, die eigenen Verwundeten beispielsweise nicht nur ihrem Schicksal zu überlassen, sondern, um einen raschen Rückzug zu ermöglichen, Befehl gibt, über ihre Körper hinwegzugaloppieren! Ich muß Ihnen den Namen dieses genialen Königs des Spiels nicht nennen. Nichts war für ihn sicher. Nichts garantierte, daß dieses waghalsige Bauernopfer zum gewünschten Erfolg führte. Im Gegenteil, die immer vorhandene Empörung einer erschöpften und überforderten Armee hätte bei diesem kühnen Spielzug in offene Rebellion umschlagen und plötzlich eine zweite Front eröffnen können. Die Totgeweihten in den Tod zu schicken, das ist selbst für einen großen Spieler keine leichte Entscheidung. Verständlicher ist es, hier zu zögern, sich seinem Gewissen zu überlassen und die anstehenden Entscheidungen so lange zu überdenken, bis sie ihren Sinn und Nutzen verloren haben, weil sich der Gegner längst auf eben diese unabweisbaren Überlegungen eingestellt hat. Dann wird es nicht einen Toten weniger geben, und die Partie ist mit großer Sicherheit endgültig verloren, doch das menschliche Gefühl in uns hat sich sein Recht verschafft.

Ich würde sagen, daß ein Spieler gewissenlos sein muß, befürchtete ich nicht, mißverstanden zu werden, auch von Ihnen. Ebenso kann ich sagen, ein Spieler verabscheut jenes ewig zaudernde Gewissen, das so viele nutzlose Opfer kostet. Aber auch das kommt der Wahrheit nicht einmal nah. Er spielt, das ist alles. Alles andere, das Gewissen eingeschlossen, interessiert ihn nicht, darf ihn nicht interessieren. Die unangenehmen Stöße hat er sicher und elegant auszuführen, und ich gestehe, daß der wahre Spieler aus eben diesem leichten Ekel einen weiteren Spielreiz zu gewinnen versteht, da ihm in diesem Moment ein weiterer und durchaus ebenbürtiger Gegner erwächst: er selbst. Ein seltener und kostbarer Moment.

Mitte Mai verließ ich Sylt. Und ein Jahr später, am 21. Juni 1989, erfolgte die unerläßliche Tötung von Bernhard Bagnall.

Ich denke, es ist überflüssig, Ihnen zu versichern, daß ich diesen Bagnall nicht kannte und nie ein Wort mit ihm gesprochen habe, wie auch er in keiner Beziehung zu mir stand und mich zuvor nie gesehen hatte. In seinem ganzen Leben wandte er sich ein einziges Mal zu mir. Ich glaubte damals, er wolle mir etwas sagen, aber er sah mich nur mit einem unaussprechlich dummen Gesicht an. Sein Aussehen war vielleicht seiner Überraschung und Verwunderung geschuldet, möglicherweise auch einem körperlichen Unbehagen oder Schmerz, denn diese Begegnung erfolgte in dem Moment seiner Tötung.

Wenn ich sage, ich kannte ihn nicht, so ist damit ausschließlich eine persönliche Bekanntschaft gemeint, denn selbstverständlich hatte ich mir alle notwendigen Informationen über Bagnall verschafft.

Ein ganzes Jahr, von meinen Arbeiten für die städtische Verwaltung will ich hier nicht reden, war der Suche nach dieser zu tötenden Person gewidmet. Ein Fehler bei der Auswahl, eine Nachlässigkeit beim Erkunden aller in Betracht kommenden und ins Gewicht fallenden Daten konnte mich das gesamte Spiel kosten, bevor es eigentlich begonnen hatte, und würde statt der gewünschten Partie nur eine sinnlose Bluttat zustande bringen, die tatsächlich entsetzlich gewesen wäre. Auch mich würde ein solches Unternehmen abstoßen und erschrecken, und ich würde nicht eine Sekunde zögern, um einen solchen Mord, denn dies wäre es, zu verurteilen und den Täter für die vom Gesetzgeber vorgeschriebene Zeit in eine Sicherheitsverwahrung zu verbringen. Ein Mord ist ein abscheuliches Verbrechen – oder wie unser alter Ordinarius Görgens selig zu bemerken pflegte: ein abscheußliches Faktum –, und die gesetzte Strafe ist durchaus angemessen. Aber eine unerläßliche Tötung mit einem Mord oder auch nur einem Verbrechen gleichzusetzen entbehrt nicht nur der Logik, sondern es verhöhnt selbst die Moral.

Menschen sterben gelegentlich, bevor ihre biologische Uhr abgelaufen ist, durch einen herabfallenden Dachziegel beispielsweise oder durch eine kriegerische Dienstleistung für das Vaterland. Ein solcher Tod ist dann jeweils bedauerlich, aber unser Strafrecht wird in diesen Fällen nicht benötigt. Die Justizbehörden werden nicht aktiv, denn der Gesetzgeber hat diese unerläßlichen Tötungen als nicht rechtswidrig wohlweislich von einer Strafverfolgung ausgeschlossen. Napoleon opferte in Rußland mehr als vierhunderttausend Leute, aber selbst die gegen ihn verbündeten Monarchen hatten zu keinem Zeitpunkt die Absicht, ihn wegen dieser großen Verluste auch noch zu bestrafen. Wäre dieser russische Schwund seiner glorreichen Armee als Mord oder Verbrechen zu werten, er hätte gewiß niemals sein geschmackloses, aber durchaus beeindruckendes Monument im Invalidendom erhalten. Ich plädiere also nochmals und entschieden für eine genauere Würdigung auch meiner Tat und angemessene Unterscheidung. Ein Mord ist in jedem Fall eine Tötung, eine

Tötung durchaus nicht immer ein Mord. Ich habe ein volles Jahr darangesetzt, daß diese Tötung nichts, aber auch überhaupt nichts mit einem Mord zu tun hat. Und ich bitte Sie, wie auch immer Sie meine Verteidigung aufzubauen gedenken, nicht zuzulassen, daß vor Gericht die Begriffe derart konfus verwandt werden.

Ich weiß, daß ich verurteilt werde. Dies ist unumgänglich, da ich mein Spiel privat betreiben mußte. Es gab für mich keine Möglichkeit, es in eine nationale oder doch politische Dimension zu transportieren. Ich bin mir über alle Konsequenzen im klaren, und auch sie wurden in Kampen wohlerwogen und mit allen denkbaren Balläufen durchgespielt. Das Jahrhundert Napoleons ist vorbei, unsere Zeit ist wesentlich zivilisierter und bevorzugt demokratische Strukturen. Ich stelle mich nicht gegen die Zeit, aber als Spieler muß ich es bedauern, denn eine große Kultur droht zu verkümmern, stirbt ab. Wenn wir sehen, was heute als Spiel und Spieler bezeichnet wird, können wir nicht umhin, die Degeneration der Humanität wahrzunehmen. Oder ist es kein barbarischer Akt, wenn eine gewöhnliche fiskalische Maßnahme der Geldbeschaffung wie Lotto oder Spielbank als Spiel bezeichnet und in den Rang der großen Unternehmungen eines John Law erhoben wird? Wenn jene unsäglichen Deppen, die eine närrische Hoffnung auf eine betrügerische und sogar einfältige Gaukelei setzen, deren primitiven Mechanismus zu durchschauen sie unfähig sind, als Spieler bezeichnet werden, also mit jenem Titel geschmückt werden, der einst Männern wie Talleyrand und Fouché, Gilles de Rais, Casanova und de Sade zukam? Oder eben Napoleon? Eine große Kultur schwindet, oder vielmehr und sehr viel schlimmer: sie entartet demokratisch und belästigt uns und die eigene große Vergangenheit, weil sie nicht stirbt, sondern weiterhin degeneriert existiert.

Ich hatte lange nach meinem Spielball gesucht, da ich mir nur eine einzige Tötung erlauben konnte und das geringste übersehene Detail bei der ausgewählten Person den weiteren Verlauf der Partie für mich mißlich und sehr entscheidend beeinflussen konnte, so daß sie nur noch mit Mühe zu einem einigermaßen zufriedenstellenden Ende zu bringen war und ich, statt das Spiel zu führen, nur noch zu Konterzügen verurteilt wäre. Gewiß gibt es bei jedem Ballauf die Gefahr eines unerwünschten Effekts, nur ist diese Bedrohung sehr viel realer, wenn wir die Substanz und Struktur des Balls nicht oder sehr unzureichend kennen.

Eine unerläßliche Tötung zu erreichen ist sehr viel einfacher, wenn Sie mit einer großen Menge von Objekten hantieren können. In der menschlichen Geschichte haben sich durch die Jahrhunderte vor allem zwei Spielsituationen dafür als annähernd ideal herauskristallisiert, die Vernichtung einer Stadt oder einer Armee. Es gab in der reichen Geschichte dieser unerläßlichen Tötungen auch andere Phänomene, kleinere und größere Mengen, die jedoch aus den unterschiedlichsten Gründen nie diesen Grad der Vollendung erreichten. Für eine solche Tötung ist eine bedeutende Menge so entscheidend, da sie einen besonders sauberen Querschnitt erlaubt. Ihre Summe, ihre Wurzel, ihr Durchschnitt, stets bekommen wir einen fast makellosen neutralen Wert, der kein anderes bewegendes Motiv für diese Tötung zuläßt als eben die erreichte Tötung selbst. Nach der Vernichtung einer Armee oder einer Stadt sind strafrechtliche Folgen ausgeschlossen, da keine zu ahndenden Straftaten nachzuweisen sind. Die Tat ist durch die übergroße Menge neutralisiert und nicht mehr rechtswidrig, sie wurde zur perfekten, unerläßlichen Tötung. Sobald mit kleineren Mengen operiert wird – um bei dem gewählten Anschauungsmaterial zu bleiben: mit der Vernichtung eines einzelnen Dorfs oder eines Truppenteils –, ist nicht auszuschließen, daß ein Teil dieser Menge die gesamte beherrscht und ihr eine sie charakterisierende Färbung verleiht. Die Tötung gerät in Gefahr, Motive zu erhalten und damit in den Bereich der Kriminalität und Strafverfolgung zu geraten. Nur solange der absolut neutrale Wert völlig unstrittig ist, haben wir ein unbeflecktes, ein jungfräuliches Spiel, nicht beeinträchtigt und fehlgeleitet von Gefühlen und Interessen, die unser Strafgesetzbuch zu berücksichtigen und zu werten hätte.

Sie verstehen, welche ungeheure Arbeit ich in jenem Jahr zu leisten hatte. Es war eine Person von jener Qualität zu finden, für die ein so bedeutender Spieler wie Napoleon über vierhunderttausend Soldaten zur Verfügung hatte und einsetzte. Die von mir aufzuspürende Person mußte gewissermaßen ein totales Neutrum sein, um als einzelner jenen neutralen Wert darzustellen, der gewöhnlich nur als Durchschnitt einer umfänglichen Menge zu erreichen ist.

Ich schmeichle mir, diesen Mann gefunden zu haben, und es wird nun Ihre nicht einfache Aufgabe sein, dem Gericht den vollkommen neutralen Wert dieser Person und damit auch die unerläßliche Tötung begreiflich zu machen. Wenn es Ihnen gelingt – und ich zweifle nicht daran und will mich daher ohne jede Einschränkung Ihnen und Ihrer Strategie überlassen –, muß das Gericht seine eigene Unzuständigkeit begreifen und akzeptieren. Man wird eine Hilfskonstruktion zu finden haben, um den Fall zu einem moralisch zumindest einigermaßen zufriedenstellenden Ende zu bringen, und es wird schließlich an uns, an Ihnen und mir, liegen, ob wir den endlich gefundenen und uns angebotenen Ausgang als Kompromiß hinnehmen können. Das Gericht über das eigentliche Spiel aufzuklären wird jede Lösung eher erschweren oder doch hinauszögern und zu unseren Ungunsten (zu meinen vor allem, meine ich) verschieben, da wir uns dann in dem peinlichen und lächerlichen Feld der Moral bewegen müssen. Wir würden unnötigerweise einen Anlaß für viele große Worte im Gerichtssaal geben, für heiße Luft und schließlich einen Schuldspruch, der, um die Unzuständigkeit des Gerichts und die daraus folgende Straffreiheit zu kaschieren, den Kompromiß in ein zu vermeidendes Extrem treiben müßte.

Anders gesagt, die zu findende Person müßte nach der Tötung jenen Rang aufweisen, den wir jenen unglücklichen Menschen zubilligen, die von einem heruntergefallenen Dachstein erschlagen oder von einer zusammenbrechenden Brücke in den Tod gerissen werden. Diese Arten von Tötung schließen von vornherein die Frage nach einem Motiv aus, da wir dem Stein oder der Brücke unstrittig zubilligen, völlig wertfrei in Bewegung geraten zu sein. Die ausführlichsten Nachforschungen können keinerlei Antipathie oder eigensüchtige Begierden und verbrecherische Absichten zutage fördern.

Die Fraglosigkeit dieser Tötungen war für mein Spiel erstrebenswert, aber natürlich nicht erreichbar. Ich konnte nur Annäherungswerte erreichen, da ich, um im Spiel zu bleiben, selbst Hand anlegen mußte. Und ich konnte die Tötung nicht in das mögliche Gewand eines alltäglichen Unfalls, eines bedauerlichen und tragischen Schicksalsschlags kleiden, denn dann hätte die Tötung wiederum jeden Sinn verloren. Als Ballstoß wäre sie unbrauchbar, da sie keinerlei weitere Folgen hätte und das Spiel weder befördern noch behindern könnte. Ich hätte künftig mit einer sinnlosen und damit schrecklichen Tat zu leben, die mich sicherlich verärgern oder gar belasten würde, fast wie ein Mord. Nein, die Tötung durfte in keiner Weise verkleidet erfolgen, wenn ich die Partie nicht vorzeitig beenden oder vielmehr aufgeben wollte. Und da es also ausgeschlossen war, für mich und meinen Ballstoß den Wert eines herabstürzenden Ziegelsteins anzunehmen, mußte ich, um diesen Mangel auszugleichen, die größte Sorgfalt auf den auszuwählenden Spielball legen. Er mußte, da ich nicht als Unfall, sondern als Spieler in Erscheinung treten wollte, von sich aus den neutralen Wert verkörpern, der schließlich und unterm Strich die Tat zwingend als das definierte, was sie ja tatsächlich war, eine unerläßliche Tötung. Daß der Vorgang in ein anderes Geschehen eingebettet war und selbst nur eine einzelne Bewegung, einen einzigen Queuestoß darstellte, ist und bleibt für die Bewertung durch das Gericht wie für die Öffentlichkeit ohne Belang.

Bernhard Bagnall war der geradezu vollendete Ball, das perfekte Neutrum. Die Tötung erfolgte zwar in aller Öffentlichkeit, dennoch war ich erstaunt, daß sein plötzliches Verschwinden so rasch bemerkt wurde. Gewiß, eine ihm untergeordnete Kollegin und mehrere Fahrgäste eines städtischen Transportunternehmens waren bei der Tötung anwesend, auch war er als Angestellter beschäftigt, war verheiratet und hatte ein Kind, dennoch bin ich verwundert, daß das Fehlen eines derart perfekten Neutrums zu bemerken ist. Ich kann es nicht beweisen, aber ich vermute, daß sein Verschwinden aus der belebten Welt der Dinge durch die

Computer entdeckt und gemeldet wurde. Diese Maschinen, die eine seelenlose Gleichheit verkörpern und praktizieren und die, bevor sie arbeiten können, ihr Material in wertfreie Zeichen umwandeln müssen, so daß ihnen der Unterschied zwischen einem Bernhard Bagnall und, sagen wir, Ihnen, Verehrtester, und mir notwendigerweise entgehen muß, sie mußten seine beendete Existenz ebenso registrieren wie den Tod eines wirklichen Menschen. Selbst Gott, wenn er in den Computer gerät, wird von diesem nicht anders betrachtet und behandelt als ein Bernhard Bagnall. Es sind Maschinen mit Humor, nicht wahr?

Aber vielleicht irre ich mich, und eben das, wodurch sich Bagnall auszeichnete, indem er sich in nichts und durch nichts auszeichnete, machte sein Nichterscheinen in seinem Kaufhaus wie in seiner Familie so unübersehbar. Auffällig ist nicht allein, was sich vor allen hervorhebt. Uns irritiert ebenso die gestörte Gleichförmigkeit, wenn das einheitliche Muster unterbrochen ist, wenn eine sich beständig wiederholende und uns ermüdende Regelmäßigkeit plötzlich eine, und sei es noch so winzige leere Stelle aufweist. Eine Sensation des Alltäglichen. Das Nichtssagende sticht in unsere Augen, sobald es, obgleich erwartet, ausbleibt. Möglicherweise wurde dadurch Bagnalls Ende so rasch wahrgenommen. Der leere Platz verriet sein Verschwinden. Ich will aber nicht ausschließen, daß die Aussagen seiner anwesenden Kollegin, die polizeilichen Protokolle und meine eigenen Auslassungen diese Wirkung begünstigten oder gar bewirkten.

Ich hatte, wie bereits erwähnt, lange nach dem geeigneten Ball gesucht. Von Beginn an hatte ich mich bei diesem Unternehmen auf bestimmte Berufe beschränkt, da ich vermutete, das gewünschte Objekt hätte sich eine Lebenssphäre und Tätigkeit gewählt, die seiner unbemerkten und unbemerkbaren Daseinsweise entsprechen und ihn existentiell nicht überfordern würde.

Ich gestehe, ich hatte mir die Suche schwierig, doch nicht aussichtslos vorgestellt. Aber nach fast sechs Monaten vergeblicher Mühe war ich nahe daran zu resignieren. Was ich zu finden hatte, war ein Nichts, und es ist einfacher, die sprichwörtliche Nadel tatsächlich in einem Heuschober aufzuspüren als eine Person, die durch nichts in Erscheinung tritt, also durch keine Funktion, durch keine zu bemerkende Äußerung welcher Art auch immer, durch keine Auffälligkeit vor unseren Augen erscheint.

Ich zwang mich, alles, was man gewöhnlich und zu Recht übersieht, wahrzunehmen, und ich entdeckte ein neues Universum, eine zweite Welt hinter der mir bekannten und vertrauten. In meiner unmittelbaren Umgebung war ein Kosmos von Lebewesen, die sich unermüdlich und wahrhaft unauffällig ihren Geschäften widmeten, mich nie belästigten und wohl auch meine Wege nie gekreuzt hatten. Oder vielmehr, ich hatte sie bislang nicht beachtet, denn es hatte – von meiner Suche nach dem perfekten Neutrum abgesehen – keinen Grund für mich gegeben, sie irgendwie wahrzunehmen.

Ich war über meine Entdeckung erstaunt und betrachtete diese Geschöpfe voll Neugier und übrigens ohne jeden Hochmut, denn ich sagte mir, auch dies sind Menschen. Ich weiß nicht, wozu sie leben, außer um ihren banalen und dümmlichen Tätigkeiten nachzugehen, die für ein funktionierendes Gemeinwesen gewiß wichtig und unerläßlich sind. Ich weiß nicht, was sie bewegt, ein Leben auf sich zu nehmen, das für

sie sicherlich nicht ohne Entbehrungen und Mühselig-
keiten ist und wahrscheinlich völlig jener Reize entbehrt, die unser Leben doch immerhin annehmbar machen. Wie auch immer, sie haben sich aus mysteriösen
Gründen dafür entschieden, diese Existenz zu ertragen.
Das sollten wir anerkennen oder schweigend akzeptieren, auch wenn uns ihr Freitod verständlicher wäre.

Ich habe sie beobachtet, ihrer Lebensweise und ihren
Gewohnheiten nachgeforscht. Ich kann wohl sagen,
ich habe sie studiert, so daß ich mir ein Urteil erlauben
darf. Ich habe prächtige Nichtse unter ihnen entdeckt,
die mir einen gewissen Respekt abnötigten, denn sie
weisen eine erstaunliche Energie auf. Sie besitzen einen
ausgeprägten Willen, zu überleben und ihr bedeutungs-
loses Schicksal zu überstehen. Sie sind von einem unermüdlichen Fleiß bei ihren doch lächerlichen und aussichtslosen Tätigkeiten. Kurzum, sie faszinierten mich.
Was ich jedoch suchte, war unter ihnen nicht zu finden.
Sobald ich eine dieser Figuren in die nähere Auswahl
zog und mich eingehender mit ihr befaßte, offenbarten
sich Spuren von Eigenschaften und Bestandteile, die
sie für meinen Zweck völlig untauglich machten. Es
waren nicht eben Qualitäten, durch die sie sich für
mich als ungeeignet erwiesen, eher kleine Eigenheiten
und Marotten, durch die sie sich, wenn Sie so wollen,
auszeichneten und damit die für die unerläßliche Tötung notwendige Perfektion eines neutralen Balls vermissen ließen. Es waren nur winzige Kleinigkeiten, aber
ich konnte nicht riskieren, daß der Ballauf durch sie
einen Effet erhielt, der diesen so entscheidenden Stoß
zunichte machen würde.

Ich hatte in diesem Jahr fünfzehn Personen ausgewählt und sie – teilweise gleichzeitig, häufig nachein-
ander – sorgfältig begutachtet. Bei allen fanden sich

jene kleinen Male, die eine kennzeichnende Besonderheit verrieten und die Ebenmäßigkeit eines Nichts befleckten. Jede war ein nahezu mustergültiges Neutrum – und eine kleine Faulstelle zerstörte das perfekte Nichts.

Diese winzigen charakteristischen Male, durch die sie sich in ihrer Nichtswürdigkeit doch von den anderen Nichtsen unterschieden, wurden von allen untersuchten Personen durchaus als Makel empfunden, den es zu verbergen galt. Ich muß Ihnen, Verehrtester, nicht sagen, daß es lächerliche Vorzüge waren, eher kleine Schäbigkeiten als erstaunliche Schurkereien und nie eine generöse und großzügige Veranlagung. Die Dispositionen der Objekte bewegten sich in dem doch recht trüben Distrikt, der Ihnen wie mir aus der alltäglichen Praxis bekannt ist, rechtswidrige Geldmanipulationen zum Nachteil des Staates, sexuelle Betätigungen außerhalb des familienrechtlichen Rahmens, rührige Betriebsamkeit auf jenen diversen Gebieten, die strafrechtlich nicht zu würdigen sind, aber einer gewissen gesellschaftliche Ächtung unterliegen, so daß die betreffenden Personen selbst uns nur notgedrungen und mit bemerkbaren Hemmungen berichten können, und was dergleichen mehr ist. Ich will Ihnen und mir die Einzelheiten ersparen.

Diese faulen Stellen ihrer ansonsten tadelsfreien Nichtigkeit herauszufinden kostete mich Zeit und Mühe, da ich jede direkte Berührung mit den ausgesuchten Objekten zu vermeiden hatte. Dieses war eine Bedingung und Notwendigkeit der Partie, ein Gebot meines Spiels: erst der eigentliche Stoß durfte das erste Aufeinandertreffen von Queue und Ball sein. Jede nachweisbare frühere Verbindung würde (zumindest in den den Augen der anderen, die mein Spiel zu verstehen nicht in der Lage sind) zwangsläufig der Tötung eine

Bedeutung geben, die alsbald den üblen Beigeschmack von Mord oder doch Totschlag nach sich ziehen würde. Ich hatte mich ballkundig zu machen, mußte aber jedes vorzeitige Touchieren vermeiden.

Im Oktober gab ich die Suche auf. Die ausgewählten Kandidaten hatte ich als ungeeignet verwerfen müssen, und in mir dämmerte die Erkenntnis, daß jene kleinen Male von Besonderheiten für diese Nichtse charakteristisch waren, daß sie selbst in ihrer eigentlichen Existenz eines Neutrums nicht so vollkommen waren, um fehlerfrei zu sein. Sie waren selbst in dieser Perfektion nichts. Ich sah keine Möglichkeit, das Spiel weiterzuführen, oder vielmehr, es auf seine praktische Ausführbarkeit zu erproben. Denn das Spiel, die eigentliche Partie, Sie erinnern sich, hatte ich bereits in Kampen gespielt. Es war weit mehr als nur ein schmerzliches Bedauern, das mich damals erfaßte. Ich verspürte in meinen Eingeweiden einen Krampf, den ich bereits kannte und den ich daher als die sich ankündigenden Wehen meiner alten Verzweiflung werten konnte und jener Unruhe, die ich erst ein knappes Jahr zuvor mit dem neuen Spiel besänftigt hatte.

Doch diesmal fuhr ich nicht nach Sylt, um dort wieder tagelang um den Tisch zu laufen auf der Suche nach einem neuen, mich ausreichend beschäftigenden Spiel. Der physische Schmerz war anders und kündete mir anderes. Offenbar hoffte irgend etwas in mir darauf, doch noch den geeigneten Ball zu finden, um das Spiel weiterlaufen lassen zu können. Oder es war eine fatalistische Vorahnung meines Scheiterns, ein unbewußtes Wissen darüber, daß es nun für mich kein anderes Spiel mehr geben könnte, wenn ich in diesem Spiel tatsächlich versagte.

Spiele haben eiserne Regeln und wenig Freiheit. So wie

ich keinen Ballstoß, und sei er noch so unangenehm und fatal, auslassen konnte, um zum nächsten überzugehen, so unmöglich war es, ein anstehendes Spiel zu überspringen. Nachdem Holland gefallen war, mußte Napoleon den Njemen überschreiten und das Ungeheuerliche wagen, vor dem ihn alle so eindringlich warnten. Aber nach den kleinen Küstenstaaten der Nordsee blieb ihm nur noch Rußland. Und wenn Moskau sein Ende sein sollte, wie es ihm selbst seine Generäle prophezeiten, einen Verzicht auf diesen Feldzug konnte der Spieler noch weniger riskieren. Es wäre sein Tod gewesen.

Ich brauchte dieses Spiel, es war für mich lebensnotwendig, und mir war klar, daß es für mich keinen Ersatz gab und damit kein Ausweichen. Ich stand vor meinem Moskau, ich mußte dieses Spiel spielen oder mein Ende akzeptieren. Der Vergleich mag Sie übertrieben anmuten, und ich räume Ihnen ein, daß er aus nahezu jedem Blickwinkel falsch und unangemessen ist. Ich benutze ihn jedoch nur unter einem einzigen Aspekt, und da ist er zutreffend und möglicherweise in der Lage, Ihnen meine Tat verständlich zu machen. Denn es ist nicht Größenwahn, Ruhmsucht oder mangelnder Realitätssinn, der mich von meinem Moskau sprechen läßt, sondern die klare und unsentimentale Analyse des Spiels.

Jeder Spieler wird irgendwann einmal vor jenem Spiel stehen müssen, in dem er nicht nur mit dem Queue in der Hand an der Bande steht, sondern in dem er auch der Ball ist. Genauer gesagt, in dem er Spieler und Ball zugleich ist. Dann wird sein Risiko unkalkulierbar und ein Sieg scheinbar unerreichbar, da er nur sehr bedingt eingreifen kann und seine Spielbeteiligung sich vor allem auf vorzügliche und spielbedingende Ausgangspositionen beschränken muß. Er kann nur noch Voraussetzungen schaffen, die seinen Gegenspieler zu bestimmten Wünschen und Plänen verleiten. Er muß, wenn er als Ball bewegungslos auf dem Tisch liegt, sich bemühen, dem Gegner den Stoßpunkt und den damit von ihm gewünschten Effet aufzunötigen, um so den von ihm angestrebten Lauf zu erreichen. Das ist aussichtslos, gewiß, oder fast aussichtslos. Aber wenn es gelingt, was für ein Spiel! Der Spieler als Ball, der mit dem Gegenspieler spielt. Sie verstehen vielleicht nun, warum Napoleon wie auch ich vor dem hohen Einsatz nicht zurückschreckten. Er hatte keine Chance zu gewinnen – was für ein Anreiz, das Spiel zu wagen, nicht wahr.

Auch ich liege nun auf dem grünen Tuch und erwarte den Stoß. Alles, was zu tun war, ist getan. Es gibt einen einzigen Stoßpunkt, bei dem ich im Spiel bleibe und selber wieder zum Spieler werden kann. Was in meiner Macht stand, um alle anderen Stoßpunkte als unzulässig, unbrauchbar oder ungeeignet auszuschließen, ist erfolgt. Nun warte ich voller Hoffnung und vertrauend auf Sie, lieber Herr Fiarthes.

Irgendwann kann uns nur noch ein tollkühnes Unternehmen aus unserer Langweile retten. Oder können Sie sich Napoleon vorstellen, wie er sich, nachdem sein Reich geschaffen und eine Ehe eingegangen war, um den Thronfolger zu zeugen, in Paris mit der Verwaltung der Stadt und der Länder begnügt? Auch ihm blieb nichts anderes übrig, als mit sich selbst zu spielen. Tollkühn, gewiß, aber nicht blindlings. Eine Chance hatte Napoleon, auf die auch ich alles setze. Der Gegenspieler muß ebenbürtig sein, um dieses Spiel zu erkennen und den Ball auf einem anderen Punkt zu treffen, als wir für ihn vorsahen und präparierten. Eine geringe, aber doch nicht ganz aussichtslose Chance. Napoleon verlor, er hatte einen ranggleichen Partner. Aber das, Herr

Kollege, sollte uns nicht schrecken. Noch hat sich gegen uns keine Welt verschworen, noch haben wir nicht zu befürchten, daß wir auf etwas anderes stoßen werden als die gewöhnlichen Bonhommes, die sich bei moralisierenden Belehrungen aufhalten werden, statt mein Spiel zu analysieren, um es zu begreifen. Ich bin daher guter Hoffnung, und Sie sollten es auch sein. Spieler meiner Klasse sind rar. Sie haben gelesen, was die Zeitungen zu meinem Fall schreiben, ihr Tenor ist gleich, man spricht von unbegreiflich und tragisch und dunkel. Und ich vermute, daß wir im Gericht kaum auf bessere Köpfe stoßen werden. Ich will mich in Ihre Verteidigung nicht einmischen, bitte Sie aber, jedwede Art von Erklärung für die Tötung zu unterlassen. Die Tat muß unglaubhaft bleiben, um eine unerläßliche Tötung zu bleiben. Es war kein Unfall mit tödlichem Ausgang, kein Totschlag und schon gar nicht ein Mord. Es wird schwierig werden, diese Sachlage dem Gericht verständlich zu machen, um so mehr muß uns daran gelegen sein, daß die Tat nicht mit den herkömmlichen Kategorien und dem gegebenen Strafgesetz erfaßt und beurteilt wird. Tat und Tathergang sind und bleiben unerklärlich, und auch Sie sollten nicht den vergeblichen Versuch unternehmen, das Unglaubhafte einer in das Korsett vorgeschriebener Regeln und Gesetzestexte gezwängten Behörde erläutern zu wollen. Der wahrhafte Grund für die Tötung und die Ursache aller ihrer Voraussetzungen und Folgen ist das Spiel. Und auch dies ist unglaubhaft und unbegreiflich.

Wir werden den Namen Napoleon vor Gericht nicht nennen können, ohne uns lächerlich zu machen. Und wir müssen, wenn wir auf seinen Namen verzichten, auch bereit sein, den Grund der Tötung zu verschweigen. Nicht im Interesse Ihres Mandanten, sondern im

Interesse der Wahrheit müssen wir verzichten. Die Wahrheit ist nicht glaubhaft zu machen. Wir müssen diese Beschränkung des Gerichts akzeptieren. Wenn es Ihnen gelingen sollte, den Begriff der unerläßlichen Tötung von dem der fahrlässigen und dem der anderen Tötungen abzugrenzen und erfolgreich vor Gericht und in das Strafrecht einzuführen – man wird sich heftigst weigern, denn noch ist sie kein Straftatbestand –, hätten Sie für die Wahrheitsfindung die Grenzen des Möglichen erreicht. Begnügen Sie sich damit. Sie hätten dann unser Strafrecht revolutioniert.

Ohne mit Abschweifungen Ihre Zeit über Gebühr beanspruchen zu wollen, sollte ich vielleicht noch anmerken, daß es in jenem Oktober noch ein Ereignis gab, das es mir leichter machte, die Suche nach einem geeigneten Ball einzustellen und dennoch nicht umgehend mein Billardzimmer an der Nordsee aufzusuchen.

Ich hatte einen Monat zuvor eine Frau kennengelernt. Ich will Sie nicht mit meinem Privatleben behelligen und habe bislang auch nur das Unumgängliche meiner ansonsten stillen Häuslichkeit mitgeteilt. Jenes, leider sehr kurze, Verhältnis unterschied sich aber erheblich von den üblichen Geschichten, und eher die mir als Ihrem Mandanten obliegende Sorgfaltspflicht als ein fragwürdiges Mitteilungsbedürfnis bewegen mich, Sie mit den hier angebracht knappen Worten über jene kleine Affäre zu informieren.

Ich hatte Katja, wie wir die Dame nennen wollen, bei einer Vernissage in Charlottenburg getroffen. Gewöhnlich vermeide ich es, zu derartigen Eröffnungen und Premieren zu gehen, und ziehe es vor, falls mich die Veranstaltung interessiert, sie zu einem späteren Zeitpunkt aufzusuchen, um den bei diesen Ereignissen reichlich vertretenen Schnorrern zu entgehen, den Ge-

179

sellschaftstigern, Pressevertretern und kleinen Geschäftemachern, die hier vor allem erscheinen, um Kontakte zu knüpfen und zu pflegen und um ein wehendes Windchen zu erspüren. Meine Arbeit für die Stadt, obgleich ich erfolgreich bemüht war, sie sozusagen aus der zweiten oder gar dritten Reihe heraus zu gestalten, hatte mich für einen gewissen Kreis dieser kleinen Händler und Spekulanten mit Informationen zu einem begehrten Objekt gemacht, so daß ich, bei einer sich bietenden Gelegenheit, meiner habhaft zu werden, nur mühsam einem mir aufgenötigten Gespräch entgehen konnte, zumal ich dann durch die örtlichen Gegebenheiten – einen Tischplatz, einen Sessel, einen Aschenbecher, ein Buffet und ähnliche Orte schlichten Zusammenlebens – an einer Flucht gehindert war. Zu jener Vernissage zu gehen war für mich unumgänglich, da ich den ausstellenden Maler bereits zweimal in spektakulären und für ihn (wie mich) erfolgreichen Prozessen vertreten hatte und ich sowohl aus Verbundenheit und Dankbarkeit wie auch aus gern eingestandener Berechnung zu seiner Ausstellung ging, denn der Maler, ein bulliger und bärbeißiger Typ, war ein jähzorniger Egozentriker und versprach durch seine bloße Erscheinung und Lebensart mir noch weitere aufsehenerregende Gerichtsverfahren.

Ich war spät erschienen, um den unvermeidlichen Eröffnungsworten des Galeristen und eines zweifellos angesehenen Münchener Kunstwissenschaftlers zu entgehen, den Kavalkaden prächtig geschmückter und aufgezäumter Worte, die in sich stets gleichenden und wiederholenden Folgen eine Einzigartigkeit zu beschwören haben und mich stattdessen an die gestelzten Bewegungen höfischer Tänze erinnern. Ich war an dem Empfangsmädchen vorbei in den ersten Stock gestiegen, hatte nach einem Weinglas gegriffen und schob mich langsam in jenen Raum, aus dem ich die Stimme des Malers hörte. Ich zwängte mich zu ihm vor, griff nach seiner Hand, schüttelte sie und sagte, wie wunderbar ich diese Ausstellung fände. Er rief nach dem Galeristen, um mich ihm als einen seiner besten Freunde vorzustellen, aber er war schon zu betrunken, um sich noch an meinen Namen zu erinnern, doch da der Galerist und ich uns kannten, konnten wir den ob seines schlechten Namensgedächtnisses laut verzweifelten Maler schnell beruhigen. Nachdem ich noch einige Worte mit ihm gewechselt und sicher sein durfte, daß er meine Anwesenheit registriert hatte, zog ich mich langsam zur Treppe zurück, dabei intensiv die aufgehängten Bilder betrachtend, um nicht noch ungewollt in ein Gespräch der reichlich erschienenen Vernissageliebhaber gezogen zu werden.

Katja stand in der Nähe des Ausgangs. Ich spürte, daß sie mich betrachtete, und lächelte sie an. Sie fragte sehr ironisch, ob ich schon gehe, und ich äußerte mein Bedauern, bereits aufbrechen zu müssen, und fügte, da ich mir über ihre Stellung zu dem Galeristen und zu dem Maler unklar war, hinzu, daß ich mir die Bilder demnächst genauer betrachten wolle, wenn die kleinen Räume weniger überlaufen seien. (Das war natürlich eine Lüge. Denn da ich mir seine Bilder nicht kaufte, sondern nach gewonnenen Prozessen und ähnlichen Anlässen als ein Surplus schenken ließ und insofern keinen Einfluß auf die Wahl nehmen konnte, lief ich bei einem erneuten Besuch der Galerie Gefahr, mich in eins seiner Bilder zu verlieben, das er mir zu schenken nicht bereit war. Um meiner Seelenruhe willen mußte ich die Augen verschließen und mich mit den gelegentlichen Geschenken begnügen.)

Wir kennen uns, sagte Katja, aber Sie scheinen sich

nicht zu erinnern. Ich erwiderte, daß sie sich täusche und daß wir uns noch nie gesehen hätten. Sie kramte intensiv in ihrer Handtasche. Den Kopf hielt sie gesenkt, ein dichter Wirbel dunkelblonder Haare stieß in die Luft. Die Frisur ließ ihre Ohren frei, die groß und verletzlich waren und in einem seltsamen Kontrast zu ihrer Besitzerin zu stehen schienen. Katja trug keinen Schmuck, nicht einmal einen Ring. Beim Vorbeugen hatte sich die Kostümjacke geöffnet und den Blick auf ein weißes, durchscheinendes Seidenhemd freigegeben, das ihre Brüste kaum verbarg.

Geben Sie mir Ihre Karte, sagte sie, und überreichte mir ihre. Ich blickte kurz darauf, um mich zu vergewissern, daß ich sie nicht kannte. Sie gefiel mir, aber ich verstand nicht, was sie von mir wollte oder was sie bezweckte. Rufen Sie mich morgen nachmittag an, sagte sie. Dann nickte sie mir zum Abschied zu und ging in den Nebenraum.

Ich rief sie zwei Tage später an und sagte ihr, daß ich mir absolut sicher sei, sie täusche sich, wir würden uns nicht kennen. Sie ging nicht darauf ein, bedankte sich für den Anruf und grübelte dann laut nach, wann sie Zeit hätte, um mit mir essen zu gehen. Ich hatte sie nicht eingeladen, aber ich akzeptierte ihre Vorschläge, ohne etwas einzuwenden. Sie amüsierte mich, und ich wollte eigentlich nur herausfinden, was sie mit mir spielen wollte.

Wir sahen uns bald häufig und regelmäßig. Nach unserer ersten Verabredung lud sie mich in ihr Haus in Dahlem ein. Ich gestehe, daß ich mich auf einen intimen Abend eingestellt hatte, stattdessen lernte ich dort ihren jüngeren Bruder kennen, mit dem sie das Haus gemeinsam bewohnte. Wir verbrachten den Abend zu dritt, und ich spürte eine eigenartige und mir rätselhafte Spannung. Ihr Bruder Heiko, der von ihr Hoppel genannt wurde und ein Design-Atelier in Schöneberg besaß, aß mit uns und blieb auch danach bei uns sitzen. Er fotografierte ständig, uns oder irgendwelche Gegenstände, das war sein Hobby, wie mir seine Schwester auf meine verwunderten Blicke hin erklärte. Ich hatte erwartet, er würde irgendwann verschwinden, aber sowohl der Bruder als auch Katja legten darauf offensichtlich keinen Wert. Wir unterhielten uns sehr angeregt (ich war angeregt, schließlich hatte ich etwas anderes erwartet), obgleich ich unentwegt Zeuge kleiner, mir nicht entschlüsselbarer Sticheleien der Geschwister und Opfer ihres gemeinsamen und mir gleichfalls dunkel bleibendes Spottes war. Auch spürte ich eine Abneigung des Bruders mir gegenüber, die ich sogar als feindselig bezeichnen würde, wenn ich auch nur den geringsten Grund oder auch nur Anlaß dafür beibringen könnte.

Als ich sie verließ, verabschiedeten sie mich beide an der Haustür. Ich stieg in meinen Wagen, winkte ihnen beim Anfahren zu und fragte mich, wozu ich einen ganzen Abend bei diesen beiden Leuten verbracht hatte. Etwas beunruhigte mich oder war mir so unklar, daß ich verwirrt nach einer Erklärung suchte. Dennoch traf ich mich in den folgenden Wochen immer wieder mit Katja und nahm in Kauf, daß ihr Bruder bei unseren Begegnungen häufig anwesend war. Ich habe ein einziges Mal mit ihr geschlafen, obgleich ich sie sehr attraktiv fand und gern öfter, genauer gesagt, jedes Mal mit ihr ins Bett gegangen wäre. Aber da war zum einen der Bruder (Heiko, genannt Hoppel; er konnte einen scharfen Kampfhund ersetzen), und dann war da Katja, die sich mir anbot und im nächsten Augenblick verärgert verweigerte, so daß ich zu keinem Zeitpunkt unseres Zusammenseins wußte, woran ich mit ihr war.

Sie brachte es fertig, mit einem Slip bekleidet in ihrem Wohnzimmer zu erscheinen und mich zu bitten, ihr beim Überstreifen und Zuknöpfen des Kleides behilflich zu sein, und mir gleichzeitig zu verwehren, ihre Schulter zu küssen. Selbst als ich mit ihr schlief, war ich mir über ihre Gefühle im unklaren und vermutete, daß ihr Bruder durchaus nicht zufällig im Nebenzimmer arbeitete, etwas allzu lärmig, daß Katjas Katzenschreie ebenso ihm wie mir gelten konnten. Ich fragte sie, als ich mich anzog, warum sie Heiko als ihren Bruder ausgebe, da er doch offensichtlich ein anderes Verhältnis zu ihr habe. Aber sie lachte und versicherte, daß er tatsächlich ihr drei Jahre jüngerer Bruder sei, um mir dann von ihrer Kindheit zu erzählen. Ich hörte ihr zu, bemüht um freundliche, stillschweigende Gelassenheit und rasend vor Wut. Ich wußte nicht, ob ich eifersüchtig war oder mich mißbraucht fühlte, ob mich meine Unsicherheit erboste oder ihre Zärtlichkeiten, mit denen sie mich auf Distanz hielt. Nach diesem Beischlaf war ich mir nicht einmal gewiß, ob ich nochmals mit ihr ins Bett wollte, aber auch hier überraschte sie mich, da sie, als ich sie eine Woche später umarmen und küssen wollte, mich kichernd abwehrte und sich jede Annäherung in jenem mitleidig vorwurfsvollen Ton verbat, mit dem eine Frau auf einer Party einen plötzlich liebebedürftigen Betrunkenen zurechtweist. Dennoch bestellte sie mich weiterhin in ihre Wohnung, zu Konzertbesuchen oder zu Spaziergängen in den Grunewald, und ich war nicht fähig, ihr abzusagen. Natürlich, ich wollte mit ihr schlafen, aber das erklärt mir nicht, weshalb ich diese insgesamt für mich unerfreuliche Verbindung nicht abbrach. Es gab etwas an ihr, was mich irritierte und so nachhaltig verunsicherte, daß ich mich immer wieder auf dem Weg zu ihr (und dem immer unverschämter werdenden Hoppel-Moppel) machte. Katjas Vertrautheit mit dem Bruder störte mich. Unbefangen streichelte und küßte sie mich, um im nächsten Moment ihren Bruder zu umarmen.

Im Mai fuhren wir zu dritt in mein Bauernhaus bei Viareggio. Ich war zum ersten Mal mit Katja für mehrere Tage zusammen und hoffte, sie (und diesen Bruder, den sie, ohne mich zu fragen, in meine Einladung eingeschlossen hatte) zu provozieren, um diese verschwommene und mir völlig unklare Beziehung, die mich fatal an eine Schülerliebschaft erinnerte, soweit zu konturieren, daß ich mit ihr umgehen konnte. Katja verlangte ein eigenes Schlafzimmer, worauf ich vorbereitet war. Überraschender war, daß sie die ersten drei Nächte in meinem Zimmer und Bett verbrachte, freilich ohne mir mehr zuzugestehen, als daß ich neben ihr liegen und sie streicheln durfte. Ich versuchte ihr zu verdeutlichen, daß sie keine Jungfrau und ich nicht ihr Bruder sei, sondern dieser irgendwo im ersten Stock und vermutlich mit einer seiner Kameras beschäftigt sei, aber sie erklärte mir weitschweifig und (für mich) nicht eben überzeugend, daß sie auf eben diese Art mit mir zusammensein wolle und wir beide, wenn ich nur bereit sei, etwas hinzuzulernen, ein sehr viel tieferes und befriedigenderes Vergnügen haben würden. Eine schlechte Nachricht für mich, damals, mit ihr in meinem Bett. (Wie heute, allein in einer Zelle.) Am vierten Abend kam sie nicht zu mir, und ich war zufrieden, eine Nacht schlafen zu können.

Nachdem ich am Morgen das Frühstück gemacht hatte, auch ein Ei für Hoppel, ging ich in ihr Zimmer, um sie zu wecken. Ihr Bett war unberührt, die vierte Nacht unberührt (bei ihr war ich mir dessen nur für drei

Nächte sicher). Nach dem Frühstück fragte ich sehr direkt (oh, wie brutal ich sein kann), ob sie mit ihrem Bruder schlafe. Katja schüttelte verwundert den Kopf und lächelte mich an, als sei ich ein schwachsinniges Kind (und genauso fühlte ich mich). Ihr Bruder grinste abfällig, ohne seine Kamera aus der Hand zu legen. (Wenn es die von mir angedeutete inzestuöse Beziehung gibt, müßte es auch entsprechende Hoppelfotos geben, da er ohne Kamera gewiß nicht einschlafen kann.) Beide antworteten mir nicht. Ich nahm mir Kaffee, aß geruhsam mein Gebäck zu Ende und wiederholte: Kann es sein, daß ich in einem erstaunlichen Beispiel geschwisterlicher Liebe etwas störe?

Nein, sagte Katja ruhig und sah mich unbefangen an. Sie reichte ihrem Bruder die Zigaretten und streichelte liebevoll und demonstrativ (wie ich zu sehen meinte) seinen Handrücken.

Was möchte der Typ noch alles wissen, sagte Heiko-Hoppel, ohne mich anzusehen. Dann nahm er die Kamera hoch und fotografierte mich mehrmals, und ich schüttete ihm meine Tasse Kaffee ins Gesicht und auf den teuren Apparat. Frühstück im Freien, mariage à trois, versippt und verschwistert, und ich war nur der Halbbruder. Für die verschüttete Tasse Kaffee entschuldigte ich mich und verließ den Tisch.

Meine Entgleisung bedauerte ich tatsächlich, andrerseits erfaßte ich in dem Moment, als ich mit einer winzigen Bewegung des Handgelenks den gesüßten Kaffee über Hoppelpoppel ergoß, daß die Geschwister mit mir spielten. Und ich, der große Spieler, ein kleiner Ball. Chancenlos mitzuspielen. Aber vielleicht war auch nur Katja die Spielerin und ihr Bruder der Spielball. Und ich war von ihr ins Spiel genommen, um einer zerfahrenen und fade gewordenen Partie etwas Pfeffer zu geben. Ich hatte lediglich einen Effet zu bewirken.

Für drei Tage verschwand ich in mein Zimmer und teilte den beiden auf Anfrage hin mit, daß ich ein paar Akten durchzusehen hätte und sie sich ganz zu Hause fühlen sollten. (Die beißende Ironie der letzten Bemerkung zu würdigen, war leider nur ich imstande. Schwesterchens Hoppel gehörte zu jenen Zeitgenossen, die sich überall sofort heimisch fühlen und ihre Gastgeber vorrangig als Domestiken benutzen. Eine Art von Hausbesetzer, die statt leerstehender Ruinen die gepflegten und wohlausgestatteten Wohnungen ihrer Bekannten bevorzugen.)

Katja fragte nach diesen drei Tagen meiner Sezession, ob ich geneigt wäre, wenigstens die Nacht mit ihr zu verbringen. Ich blieb heroisch und lehnte ab.

Am nächsten Morgen fanden mich die Geschwister mit gepackten Koffern auf der Terrasse vor. Ich sagte ihnen, daß ich nach Berlin zurückfahre, und bat sie, das Haus bei ihrer Abfahrt gut zu verschließen und die Schlüssel meinem Nachbarn, einem Fuhrunternehmer, zu geben. Beide lächelten sich an. In diesem Spiel hatte ich keine Chancen und zog es daher vor, von der Spielfläche zu verschwinden, bevor Katja mich als Spielball versenkte. Es war kein ruhmreicher Abgang, aber ich tröstete mich mit dem Gedanken, daß es ein mir aufgezwungenes Spiel war und ich überdies nur als Preller gebraucht wurde und das Hoppelchen der Spielball der Serie war.

Eine halbe Stunde später ließ ich mich zum Bahnhof fahren.

Katja und ihr Bruder reisten bereits drei Tage später ab, wie mir mein Nachbar aus der Toscana berichtetete. Er war sehr empört und laut am Telefon, denn die beiden hatten offenbar ein kleines Schlachtfeld hinterlassen und mein Geschirr zerschlagen. (Sono tremendi, Manfredo, vandali.) Ich vernahm es mit einem Gefühl von Genugtuung, denn mein vorzeitiges Ausscheiden hatte ihr Spiel so durcheinandergebracht, daß sie es versprengten und ich unerwartet die Partie noch gewonnen hatte.

Es war mein Glückstag. Nach dem Anruf verließ ich wohlgelaunt das Haus, um eine Freundin zu besuchen. Ich war mit dem Auto schnell durch die Stadt gekommen und sehr viel früher als verabredet bei ihr. Da ich wußte, daß sie sich sorgfältig und intensiv für mich vorbereitet, wollte ich nicht bei ihr erscheinen, bevor das Kunstwerk völlig hergestellt war. Ich ging zu einem Italiener an der Ecke, um einen Kaffee zu trinken. Ich hatte bereits bestellt, als ich Bernhard Bagnall entdeckte. Ich sah diesen Mann und konnte kaum meiner inneren Erregung Herr werden. Er war es, ich wußte es sofort. Es war der Instinkt des Spielers, der immer untrüglich ist. Ich rief den Kellner und ließ mir den Kaffee an den Tisch neben Bagnall servieren.

Er war mit acht Frauen zusammen, und ihrem Gespräch war zu entnehmen, daß sie allesamt in einem Kaufhaus in der Nähe beschäftigt waren und hier saßen, um irgend etwas zu feiern. Die Frauen waren undefinierbar. Eine Komposition in Grau. Kein störendes Hervorstechen eines individuellen Zugs. Selbst in der Kleidung eine harmonische Langeweile. Ihr Alter war unbestimmbar. Mich zurückerinnernd möchte ich sagen, jede von ihnen konnte zwanzig oder auch fünfzig Jahre alt sein. Alles war beruhigend nivelliert, zweifellos ein Erfolg des Personalbüros. Und in dieser Ansammlung von Nichts thronte das Meisterstück, mein endlich gefundener Bagnall. Er war eine Art Chef der acht Damen, aber keinesfalls ihr Wortführer. Alle sprachen gleichzeitig, und während sie sprachen, nickten sie einander zu, um gegenseitig ihr Einverständnis zu bekunden mit dem, was die anderen sagten und was sie unmöglich vernehmen konnten. Aber auch dieses Stimmengewirr war gleichförmig, niemand und nichts hob sich hervor oder unterschied sich von den anderen.

Ich starrte beglückt auf meinen Fund und notierte mir einige Äußerungen, die mir behilflich sein sollten, meinen Spielball in den nächsten Tagen wiederzufinden. Ich war so vergnügt, daß ich dem Kellner ein reichliches, geradezu verdächtig wirkendes Trinkgeld gab, bevor ich die Gaststätte verließ (nicht ohne meinem künftigen Ball einen lautlosen, unsichtbaren und fast zärtlichen Gruß zuteil werden zu lassen). Noch bei meiner Freundin war ich so aufgeräumt, daß sie mich immer wieder nach dem Grund meines Vergnügens fragte. Ich sagte ihr, daß ich einen Hauptgewinn gezogen habe, und nahm sie dabei in die Arme, und wie ich erwartet hatte, mißverstand mich das gute Mädchen wunschgemäß, stellte keine weiteren Fragen, sondern schloß die Augen.

In den folgenden Wochen verbrachte ich täglich mehrere Stunden damit, mich ohne jedes Aufsehen über Bernhard Bagnall kundig zu machen. Das waren die inzwischen gewohnten kleinen und auch kleinlichen Detektivarbeiten, bei denen mir gelegentlich mein Beruf und meine Praxis zugute kamen. Die Nachforschungen stellten mich über alle Maßen zufrieden: mein Instinkt hatte nicht getrogen, Bagnall war das einwandfreie, mustergültige Nichts.

Bagnall. Bagnall. Bernhard Bagnall. Ich begann für ihn zu schwärmen.

Dreiunddreißig Tage nachdem ich dieses vollendete Vakuum kennengelernt hatte, brach ich meine Ermittlungen beruhigt ab und fuhr für einen Tag nach Kampen, um das für die Tötung erforderliche Werkzeug zu holen, die Waffe gewissermaßen.

Ich hatte lange, und noch bevor ich auf Bagnall gestoßen war, darüber gerätselt, wie der doch recht entscheidende Stoß dieser Partie ausgeführt werden mußte. Ein schwieriges, eine sehr kniffliges Problem, da sich jedes Gerät verbot, das auch nur entfernt an einen Mord oder an Totschlag erinnerte. Aber ebenso hatte ich zu vermeiden, daß durch das Tötungsinstrument die Tötung als ein Zufall oder als ein bedauerliches Unglück angesehen wurde. Mein Bagnall wäre umsonst gestorben. Es wäre ein großes Unglück, auch für mich, denn ich war schließlich nicht an seinem Tod interessiert. Ich hatte nichts gegen ihn. Ganz im Gegenteil, der Ball war mir lieb und teuer, und ich verehrte ihn geradezu in seiner Makellosigkeit. Nichts beeinträchtigte und kränkte dieses mustergültige Nichts, diese perfekte Null, diesen unübertrefflichen Niemand. Er war für mich eine große Kostbarkeit, denn würde mir dieser Ballstoß mißlingen und seine Tötung als Mord, Totschlag oder Unfall angesehen werden, ich hätte nicht nur unangenehme Folgen zu gewärtigen, sondern vor allem die Partie verloren. Und Bagnall, der unvergleichliche, er wäre von mir leichtfertig versprengt worden, obgleich ich bereits wußte, daß ein Ball von solcher Vollkommenheit schwerlich ein zweites Mal aufzufinden ist. (Und nach einer mißglückten Tötung nochmals in diesem Königsspiel anzutreten wäre überdies ein völlig aussichtsloses Unternehmen, da die verlorene Partie dem neuen Spiel unvermeidlich einen Effet geben würde, der einen künftigen Erfolg mit Sicherheit ausschlösse.)

Sie werden mir zugestehen, daß ich ein vorzügliches Werkzeug für die Tötung auswählte. Die Vernehmungen durch die Beamten und den Untersuchungsrichter wie auch die Berichterstattung in den Medien sind von Ratlosigkeit geprägt, was nicht zuletzt der ungewöhnlichen Waffe geschuldet ist. Und überdies hoffe ich, daß Sie, da ich mich Ihnen so vollständig und rückhaltlos eröffne, die Schlüssigkeit meiner Wahl zu würdigen wissen wie auch meinen Humor. Ich war, als ich endlich das Problem gelöst hatte, überrascht, daß ich auf dieses eigentlich natürliche und einzig mögliche Tatwerkzeug erst so spät stieß. Dabei hatte nur ein Queue jenen Witz, den ein Spieler seiner Eleganz wegen über alles schätzt. Es brachte mir zudem die für den Stoß erforderliche sichere Hand, da ich mit ihm etwas Übung habe, ja mir schmeicheln darf, mit ihm artistisch und vielleicht sogar künstlerisch umgehen zu können.

In Kampen suchte ich das geeignete Queue heraus. Es mußte geschraubt sein und mir gut in der Hand liegen, andrerseits wollte ich keinen meiner Favoriten benutzen. Das Queue als Tatwaffe würde eingezogen werden, und ich könnte auch nach erfolgreich überstandenem Prozeß kaum auf die Herausgabe meines geschätzten Stocks klagen, da man zweifellos meine Klagebegründung (unerläßlich für mein weiteres Billardspiel) nicht akzeptieren würde. Ich wählte ein zweiteilig zerlegbares Queue mit einer Metallschraubung, denn ich wußte nicht, ob eine Hartholzschraubung für meinen Stoß ausreichend stabil und schlagfest war. Ich schraubte das Queue auseinander, legte es in ein passendes Futteral und fuhr nach Berlin zurück.

Vier Tage später, am 21. Juni, wartete ich auf dem U-Bahnhof Seestraße auf Bagnall. Er kam, wie an jenen beiden Tagen, an denen ich ihn auf seinem Nachhauseweg bereits begleitet hatte, mit drei Kolleginnen und stieg wiederum in den vorletzten Wagen ein. Und wie an den zurückliegenden Mittwochabenden verabschiedete er sich an der Station Leopoldplatz von zwei Frauen, die dort ausstiegen. Als der Zug in den Ostteil der Stadt fuhr und an den gesperrten, kaum beleuchteten Stationen seine Fahrgeschwindigkeit lediglich minderte, aber nicht mehr anhielt, waren in meinem Waggon nur noch etwa fünfundzwanzig Personen. Ich stand an einer Tür, direkt neben Bagnall und seiner Kollegin. An der Station Stadion der Weltjugend hatte ich den Griffteil des Queues aus dem Futteral genommen und begonnen, damit zu spielen. Mehrere Passagiere sahen mir uninteressiert zu, doch nach einigen Minuten starrte alles wieder in seine Zeitungen oder blicklos aus dem Fenster. Bagnall unterhielt sich mit der neben ihm sitzenden Frau, seiner Kollegin. Sie sahen einander dabei nicht an, sondern blickten auf das gegenüberliegende Fenster, hinter dem schwarzes Mauerwerk vorbeiglitt, mehr zu erahnen als sichtbar.

Als der Zug die Station Stadtmitte erreichte und wiederum seine Fahrt abbremste, faßte ich mit der linken Hand nach der Stange, die Bagnalls Sitz mit Fußboden und Decke verband und legte das halbierte Queue zwischen die Metallstange sowie meinen Zeige- und Mittelfinger. Dabei sah ich auf den abgedunkelten Bahnhof, der in seinem Dornröschenschlaf staubgrau dahindämmerte. Zwei Uniformierte traten einen Schritt weiter zurück, als sie meinen Blick bemerkten, als fürchteten sie sich davor, von mir gesehen zu werden. Ich weiß noch, daß mir ihr Benehmen so lächerlich erschien, daß ich belustigt den Kopf schüttelte. Dann wandte ich mich Bagnall zu, und Sekunden bevor die U-Bahn ihr Tempo wieder beschleunigte, stieß ich mit einem kräftigen Armschwung die Metallschraubung des halben Queues gegen seine Schläfe.

Es war ein präzise ausgeführter Stoß, lehrbuchreif. Bernhard Bagnall sackte wortlos in sich zusammen und rutschte auf den Fußboden. Ich ließ das Queue fallen, stürzte zu ihm, um ihn aufzufangen. Gemeinsam mit seiner Kollegin kümmerte ich mich um den Toten (um den Verletzten, wie ich in der Bahn wider besseres Wissen behauptete, um die Erregung der Fahrgäste zu dämpfen). Ich beschäftigte mich sehr intensiv mit ihm, und ich zweifle nicht, daß die Mitreisenden bei der vorgenommenen Zeugenbefragung angegeben haben, daß ich eifrig, umsichtig und selbstlos mich um die Leiche sorgte. Ich rief nach einem Arzt, nach einem Verband oder sauberen Taschentuch, denn das Metall hatte eine Platzwunde verursacht, aus der ein wenig Blut sickerte. Ich bat darum, eine Bank frei zu machen, um Bagnall darauf legen zu können. Ich wußte, mein Verhalten nach der Tötung wird für das Gericht von größter Bedeutung sein. Zudem hatte ich zu vermeiden, daß einer der Passagiere nach der Notbremse griff, wodurch ich möglicherweise von ostdeutschen Polizisten hätte festgenommen werden können. Dies war in meinem Spiel nicht vorgesehen und konnte ihm einen überraschenden und schwer kalkulierbaren Effet geben. Und während ich letzte Hand an meinen Spielball legte und die Fahrgäste zu beruhigen mich bemühte, hatte ich noch die Beschimpfungen einer Frau zu parieren, die schreiend verkündete, daß sie alles gesehen, daß ich den Mann mit einem Stock geschlagen habe und man sofort die Polizei rufen müsse.

Als die U-Bahn in die Station Kochstraße einlief, nahm ich den toten Bagnall auf meine Arme (das Queue samt Etui ließ ich selbstlos zurück) und bat alle, mit mir auszusteigen, um als Zeugen auf dem Bahnhof die Ankunft der Polizei abzuwarten. Mit mir (und der Leiche) stiegen noch sieben Personen aus, von denen jedoch drei, ohne auf meine bittenden Forderungen zu reagieren, sofort den Bahnsteig verließen. Die Kollegin Bagnalls blieb bei mir (oder bei Bagnall), ebenso jene Frau, die alles gesehen haben wollte und tatsächlich mit meinem halben Queue auf dem Bahnsteig stand, sowie ein jüngeres Pärchen, das mich stumm und mit begeisterter, unverhohlener Neugier betrachtete. Ich legte Bagnall auf den Kunststoffsitzen des Bahnsteigs ab, ging zum Bahnhofsbeamten und bat ihn, einen Krankenwagen und die Polizei zu rufen.

Aber diesen Teil der Geschichte kennen Sie aus den Akten, und ich darf meinen Brief beenden.

Nun setze ich auf Sie, Herr Kollege. Paris, Elba oder St. Helena, was erwartet mich?

Nehmen Sie nun das Queue auf, suchen Sie den richtigen Punkt des Balls aus und führen Sie in meiner Partie den nächsten Stoß aus. Ich wünsche Ihnen Glück und eine ruhige Hand.

Bedenken Sie, es war eine unerläßliche Tötung, eine Tötung aus Notwehr. Es war rechtfertigender Notstand gegeben, denn bei Abwägung der widerstreitenden Interessen überwog das geschützte wesentlich das beeinträchtigte Interesse. Und es ist entschuldigender Notstand festzustellen, da eine nicht anders abzuwendende Gefahr mein Leben bedrohte. Denn wenn ich dieses Spiel nicht hätte spielen dürfen …

Ich wage nicht, den Satz zu Ende zu schreiben. Ein entsetzlicher Gedanke, nicht wahr, Herr Fiarthes!

Ich schließe den Brief. Nun sind Sie am Zug.

Good luck, Herr Kollege.

Ich bedauere, sehr verehrter Herr Fiarthes, daß ich Sie gestern abend unangemeldet aufsuchte. Aber dieser kleine Überfall war unumgänglich. Ich benötigte meinen Brief zurück und wollte nach Möglichkeit verhindern, daß Sie ihn zuvor kopieren lassen, was Sie gewiß veranlaßt hätten, wenn Sie über meine Absicht unterrichtet gewesen wären.

Sie waren erstaunt, als ich in Ihrem Haus erschien, um mein Schreiben bat und Ihnen sagte, daß es sich in Ihrem Wohnungssafe befände. Nun, ich habe Sie dadurch überrumpeln und zur sofortigen Herausgabe meines Briefes bewegen können.

Natürlich wußte ich nicht, wo Sie ihn aufbewahren. Ich habe gespielt, verzeihen Sie mir, und gewonnen. Ich vermutete, daß Sie ihn in einem Safe verstecken, da er Ihnen, wie Sie mir mehrfach gestanden, ebenso heikel wie widerlich ist.

Schwieriger war die Frage, ob Sie meine Zeilen dem Safe Ihrer Kanzlei anvertrauten oder Ihrem häuslichen Tresor.

Üblicherweise müßte das Papier in der Kanzlei liegen, wenn schon nicht in der Prozeßakte. Aber Sie hatten sich über meine Ausführungen derart erregt (ach, es sind häßliche Worte gefallen, verehrter Herr Kollege, sehr häßliche Worte; einen weniger sanftmütigen Zeitgenossen könnten sie gewiß verbittern), daß ich schließlich dazu neigte, ihn in Ihrer Wohnung zu vermuten, da dort weniger Gefahr bestand, daß er einem Unbefugten zu Gesicht kam.

Sie waren sehr verwundert. Jetzt sehen Sie, daß es ein leichtes Spiel war. Gewissermaßen ein Ball nur über zwei Banden.

Sie haben gestern abend keine drei Worte mit mir gewechselt. Ach, es kränkte, Herr Fiarthes. Ich bin Ihnen zugetan, ich schätze Sie, und vor allem: ich bin Ihnen dankbar, unendlich dankbar.

Es war ein bitterer Moment für mich, als Sie mich so brüsk und für alle Zukunft zurückstießen, ein sehr bitterer Moment. Aber ich muß und ich will Ihre Entscheidung akzeptieren.

Dennoch bleibe ich Ihnen gewogen, und ich werde nicht nachlassen, Ihnen gegenüber aufrichtig zu sein und nichts zu verbergen. Wie keinem zweiten Menschen. Wie einem Freund. Und deshalb belästige ich Sie heute nochmals und erlaube mir, Sie über einen Irrtum aufzuklären. Sie lächelten so nachsichtig, als Sie mir den Brief übergaben, fast süffisant und mitleidig. Ich nehme an, Sie vermuten, daß ich das Schreiben zurückerbat, um es zu vernichten, damit es nicht eines Tages als Beweismaterial gegen mich verwendet werde.

Nun, das habe ich nicht vor. Im Gegenteil. Ich beabsichtige, diese Zeilen veröffentlichen zu lassen.

Nein, es ist keine Hybris, und ich bin nicht wahnsinnig geworden. Und falls Sie um mich besorgt sind, will ich Sie zuvörderst beruhigen: ich werde dafür sorgen, daß Sie durch die Veröffentlichung in keiner Weise belästigt sein werden oder gar desavouiert. Und da ich auch nicht beabsichtige, mir selbst eine Schlinge um den Hals zu legen, werde ich zuvor einige kleine Veränderungen vornehmen. Das alles ist, Sie werden es bereits erraten haben, ein Spiel. Genauer gesagt, es ist ein weiterer Stoß in derselben Partie. Die Veröffentlichung soll einen neuen Stoßball auf den Tisch bringen, da Bernhard Bagnall nicht mehr zur Verfügung steht, und ich bin voller Erwartungen und begierig zu sehen, welchen Effet mein Spielball dadurch bekommt. Freilich, ein paar Daten und Namen werde ich verändern und auswechseln müssen, und ich werde meine Beichte nicht unter meinem Namen veröffentlichen. Das wäre Selbstmord und kein Spiel. Der dümmste Provinzstaatsanwalt könnte mir einen Strick drehen und eine Wiedereinsetzung des Verfahrens zuungunsten des Angeklagten erreichen, da er ein glaubwürdiges Geständnis vorweisen könnte.

Den Gedanken, das Schreiben unter einem Pseudonym zu veröffentlichen, verwarf ich rasch, da ich mir selbst dabei die Hände binden würde, denn ich könnte zu einem späteren Zeitpunkt kaum noch in den Verlauf des Spiels eingreifen, ohne meine Urheberschaft zu offenbaren. Ich entschloß mich daher, den Brief, nachdem ich die verräterischen Details ausgetauscht habe, einem Schriftsteller zu geben, der das Ganze unter seinem Namen herausbringen soll. Er bekommt das Honorar, und ich vermute, ich werde unter diesen ausgehungerten Burschen leicht einen geeigneten Strohmann finden, der für Geld bereit ist, auf meine Wünsche und Bedingungen einzugehen, und überdies schweigen kann. Aber selbst wenn er, verführt von den Medien oder seiner Eitelkeit, mehr ausplaudern sollte, als ich ihm zugestehen werde, wird die Partie für mich nicht verloren sein. Denn der Kerl wird nichts in seinen Händen halten außer einer Geschichte, in der weder Ihr Name fällt noch meiner und die man nur mit viel Fantasie als die Geschichte meines Falls entschlüsseln kann. Strafrechtlich wird der Text bedeutungslos sein, und mein Strohmann liefe zudem Gefahr, das gesamte Honorar zu verlieren. Ihre Person würde auch durch eine solche unvorhergesehene Demaskierung in keiner Weise inkommodiert, ich kann Ihnen das um so leichter und überzeugender versichern, da jeder mögliche Verweis auf Ihre Person auch mich gefährden könnte und – für mich noch schlimmer – mein Spiel. Es ist also alles bedacht, lieber Herr Fiarthes, und wenigstens Sie sollten über den Fortgang der Partie unterrichtet sein.

Wenigstens Sie, sagte ich, tatsächlich und korrekt müßte es heißen: nur Sie. Denn Ihrer Verstimmung trotzend, sehe ich Sie noch immer als meinen Freund an.

Falls Sie den Wunsch haben, mir zu dieser Fortsetzung der Partie zu gratulieren oder einen Hinweis zu geben, der für mich um so gewichtiger wäre, da Sie über den bisherigen Verlauf des Spiels bestens informiert, durch Ihre Arbeit mit ihm mehr als nur vertraut sind und Ihr Wort bei mir großes Gewicht besitzt, falls Sie also eine noch so kleine Bemerkung machen wollen oder können, so sagen Sie diese getrost dem Herrn, der vor Ihnen auf einem der Besuchersessel sitzt und so geduldig das Ende Ihrer Lektüre erwartet. Sie können ihm alles anvertrauen. Er weiß von nichts, versteht nichts und ist mir absolut ergeben. Denn dieser Herr, der sich vor vier Tagen bei Ihnen einen Termin geben ließ, nur um Ihnen diesen Brief zu bringen, den ich erst heute schreiben konnte, da ich erst gestern meine Aufzeichnungen aus dem Untersuchungsgefängnis von Ihnen zurückerhielt (alles ein Spiel, Herr Fiarthes), dieser Herr ist der Bastard, mein Stiefbruder. Ich erzählte bereits von ihm.

Dieser Herr – mich verbinden keinerlei familiären Gefühle mit ihm, ich habe ihn Ende des vorigen Jahres zum ersten Mal seit mehreren Jahrzehnten gesehen –

arbeitet gelegentlich für mich. Er weist eine mir rätselhafte Zuneigung für mich auf. Seine Äußerungen und Handlungen lassen auf brüderliche Gefühle für mich schließen, was mir unerklärlich ist und in Gesellschaft auch durchaus peinlich, aber ich gedenke, ihn noch zu der erforderlichen Distanz zu erziehen, die ein erträgliches Miteinander ermöglicht.

Er ist mir ergeben, da er alles von mir erhofft. Im vergangenen November, wenige Tage nach dem Fall der Mauer, besuchte er mich. Ich residierte damals, Sie erinnern sich gewiß, noch in einer Zelle des Untersuchungsgefängnisses. Mir wurde ein Besucher gemeldet, dessen Namen mir im ersten Moment nichts sagte. Ich empfing den Mann aus Langeweile. Nachdem er mir erklärt hatte, wer er sei und daß ihn sein erster Weg durch die geöffnete Mauer zu mir geführt habe, erhob ich mich zur Begrüßung, breitete meine Arme aus und sagte zum Bastard: Willkommen in der Freiheit.

Selbst der Beamte, der an der Tür des Besucherzimmers stand und meine Worte hörte, hatte mehr Witz. Mit einem feinen Lächeln würdigte er meinen Humor, während der arme Junge, der behauptete, der thüringische Bastard und mein Halbbruder zu sein, nicht zu bewegen war, seine Trauermiene vorgeblichen Mitleids abzulegen.

Nach unserem überstandenen Prozeß (Sie führten die Verteidigung trotz Ihrer Empörung hervorragend, und daß die Staatsanwaltschaft auf einen Revisionsantrag verzichtete, ist nicht nur meinem gut vorbereiteten Spiel und ebenso wohlüberlegten Auftreten, sondern auch Ihrer überzeugenden und beeindruckenden Taktik zu verdanken) suchte mich der Herr, der nun vor Ihnen sitzt und mein Halbbruder ist, wiederholt auf, angeblich um das einzige für ihn noch existierende Familienband nicht wiederum zerstören zu lassen, in Wahrheit jedoch, um mich mit seinem traurigen Schicksal zu behelligen und meine Hilfe einzufordern. Soweit ich ihn jedenfalls verstanden habe – denn da er meinte, mir in aller Ausführlichkeit sein Leben schildern zu müssen, und dabei nicht zu bremsen war, ließ ich ihn reden und beschäftigte mich währenddessen mit meinen Papieren, gelegentlich ihm voller Mitgefühl zunickend.

Soweit ich seiner Suada überhaupt folgen konnte, hatte er einmal in seinem Leben Mut bewiesen und war daher vom Schicksal hart bestraft worden. Er hatte Geschichte studiert und später als Dozent an der Leipziger Universität gearbeitet. Nach dem Einmarsch der Russen in Prag hatte er vor Studenten sein Mißfallen über diese militärische Aktion geäußert, wurde daraufhin entlassen, blieb zwei Jahre lang strafweise arbeitslos und mußte dann in einer sächsischen Chemiefabrik seine Brötchen verdienen. Einige Jahre später bekam er die Möglichkeit, an einer Schule als Geschichtslehrer anzufangen, allerdings nur unter der Bedingung, an dieser Schule gleichzeitig eine anscheinend allgemein unbeliebte Funktion in der Partei oder Gewerkschaft zu übernehmen. Er willigte ein, um endlich wieder zu einer erträglicheren Arbeit zu kommen. Anfang diesen Jahres wurde er, obgleich er nach eigener Auskunft für das Lehreramt fachlich überdurchschnittlich ausgebildet sei, als einer der ersten von der neuen Schulbehörde entlassen, da er dem alten Regime als Funktionär gedient hatte.

Eine beachtliche Geschichte mit einer vorzüglichen Pointe, nicht wahr! Gewöhnlich wird man für Anwandlungen von Größe bestraft. Aber daß man sich für ein bißchen Courage gleich zweimal und zweimal gründlich den Hals bricht, ist schon eine außerordentliche Karambolage. Denn mit einer einzigen und eigentlich etwas lächerlichen Bemerkung, ruinierte er sich in dem einen Staat und auch noch gleich für den nächsten. (Wollte er mit seinem vor fast Minderjährigen geäußerten Unbehagen an jener Militäraktion die russische Armee zum Rückzug bewegen? Wohl nicht. Aber warum dann konnte er nicht den Mund halten, statt vor kleinen Studenten große Sprüche zu klopfen?) So leidet er seit mehr als zwanzig Jahren. Traurige Folgen unbeherrschten Heldenmuts. Die Dame Geschichte ist eine große Spielerin, die Göttin der Spieler. (Auch Napoleon wurde von ihr geschlagen, nur von ihr. Eh bien, danger de mort, pour ainsi dire. Ich bin gewarnt und gewappnet.)

Ich lasse ihn gelegentlich für mich arbeiten, denn eine so ergebene Kreatur (und Bruder und Bastard obendrein) ist selten und nützlich. Auch strahlt aus seinen Augen noch ein Hunger, um den ich ihn fast beneide. Er hat noch keine Spiele nötig, wird freilich auch wohl nie bis dahin gelangen. Bemühen Sie sich nicht, ihn über mich und mein Spiel aufzuklären. Er wird Ihnen nicht glauben, denn er wurde von mir für diese Begegnung präpariert. Und wenn es Ihnen doch gelingen sollte, seinen Glauben an mich und an das Gute zu erschüttern, wird er es sich selbst verbieten, Ihnen zu folgen. Auch der Dümmste ist nur einmal in seinem Leben ein Held. Und ich bin der Strohhalm, an den er sich klammert. Er kann es sich nicht leisten, diesen Strohhalm loszulassen, er würde abstürzen. Ersparen Sie also sich und ihm die Aufklärung. Er weiß nichts von meiner Partie. (Oder darf ich sagen: unserer?) Er wird mir Ihre Antwort und Ihre sonstigen Äußerungen und Bekundungen apportieren und sich nicht wieder den Mund verbrennen.

Sie runzeln die Stirn? Sie haben recht, ich vergeude Ihre Zeit und will rasch zum Ende kommen.

Ich wollte Sie mit diesem Brief über den weiteren Verlauf jener Partie informieren, in der Sie eine so wichtige und rühmliche Rolle spielten. Ich bin Ihnen dieses schuldig. (Gern würde ich sagen: schuldig als Ihr Freund, doch ich fürchte, Sie stoßen mich wiederum zurück. Sie haben harte, sehr harte und schlimme Worte gesagt, die mich verletzen könnten, wäre ich Ihnen nicht unverbrüchlich verbunden. Lieber Herr Fiarthes, Formulierungen wie Bestie und Teufel in Menschengestalt und Ungeheuer, all das sollten wir der Boulevardpresse, den Politikern und den Staatsanwälten überlassen, die dergleichen für ihr Geschäft benötigen. Wir Anwälte sollten weniger pathetisch sein und uns mit ruhiger Stimme auf das Eigentliche konzentrieren. Zudem wirkt es, verzeihen Sie, etwas lächerlich, wenn ein aufgeklärter Zeitgenosse, der kaum noch an Gott und überhaupt nicht an den Teufel glaubt, letzteren plötzlich vor sich zu sehen meint. Diesen leichten Tadel kann ich Ihnen, lieber und verehrter Herr Kollege, nicht ersparen trotz all meiner Zuneigung zu Ihnen.)

Natürlich verstand ich Ihre Verärgerung und Erregung, schließlich mußte ich Sie bedauerlichweise nötigen, und das ist immer ein unerfreuliches Unternehmen. Aber ich hatte vor mehr als einem Jahr in Kampen die gesamte Partie durchgespielt, und mir war klargeworden, daß eine Nötigung unumgänglich ist. Ich gestehe, daß ich Sie wegen dieser kleinen mißlichen Geschichte – inzwischen habe ich sie längst vergessen – als meinen Anwalt aussuchte, denn ich mußte verhindern, daß mein beauftragter Verteidiger zwischenzeitlich das Mandat niederlegt. Diese Gefahr drohte meinem Spiel und konnte es beeinträchtigen. Ein Wechsel des Anwalts mußte meinen Fall in ein so unerwünschtes Licht rücken, daß ich mit völlig anderen und unvorhergesehenen Bandenabschlägen zu rechnen hatte. Überdies hätte der neu zu beauftragende Kollege möglicherweise ähnliche moralische Bedenken wie Sie gehabt. So kam mir jene kleine dumme Geschichte, die Ihnen damals unterlief und über die ich durch einen puren Zufall vor einem Jahrzehnt unterrichtet wurde, eben recht, um Sie davon abzuhalten, meine Verteidigung niederzulegen, nur weil ich mich Ihnen vorbehaltslos eröffnet und eine Beichte abgelegt hatte. Ich bedauere die Nötigung sehr, aber ich hatte keine Wahl, und ich versichere Ihnen nochmals, daß ich dieses, sagen wir, Mißgeschick, das Ihnen damals unterlief, nun tatsächlich vergessen habe. Wir sollten nie wieder ein Wort darüber verlieren. (Diese Versicherung drückt gleichzeitig den Wunsch mit aus, daß unser Verhältnis zu jenem freundschaftlichen Umgang zurückfindet, der meinen wirklichen Gefühlen für Sie, Verehrtester, entspricht.)

Und falls Sie Zweifel an der Aufrichtigkeit meiner Worte haben, so werde ich Sie sicher überzeugen können, wenn ich Ihnen sage, daß ich niemals einen erfolgreichen Stoß wiederhole. Das ist eines Spielers unwürdig und entspricht eher der Mentalität eines Handwerkers denn der eines Künstlers, als welchen ich mich sehe. Ich will den Erfolg, aber wenn ich ihn erreicht habe, werde ich den nächsten und schwierigeren anstreben. Und nur das Mißlingen eines Spiels kann mich bewegen, einen Ballstoß zu wiederholen, doch ich denke, von einem Mißlingen können wir bei dieser Partie bislang noch nicht sprechen. Ihr Mißgeschick, diese dumme Geschichte, ist überdies uralt und nicht bedeutsamer als ein lächerlicher Ladendiebstahl, längst verjährt, und hat nun, da ich Sie damit abhalten konnte, mich kurz vor Prozeßeröffnung im Stich zu lassen, endgültig ausgedient. Mir liegt viel daran, Ihnen diese Zusicherung zu geben, denn mir liegt an Ihrer Freundschaft, lieber Herr Fiarthes.

Meine um Nachsicht ersuchende Erklärung war, wie alles andere, vor Jahresfrist in Kampen entworfen, und ich mußte sie, bevor ich auf mein Anliegen zu sprechen kommen kann, wie alle anderen Spielzüge ausführen. Was einen Spieler vor anderen Personen auszeichnet, ist vielleicht nur die Bereitschaft und Fähigkeit, den Lauf eines Balls etwas länger und weitsichtiger zu berechnen. Gewöhnlich zieht man ein oder zwei Karambolagen ins Kalkül und drei oder vier Bandenabschläge, aber die Bälle in unseren großen Spielen laufen sehr viel länger, eigentlich unendlich. Immer wieder haben sie Karambolagen, Begegnungen und Effets oder auch Kontakt mit einem Queue. Und sie sind alle berechenbar oder wären es, könnten wir nur alle Informationen verarbeiten und sämtliche fremden Spiele wie auch die unser Spiel kreuzenden Bälle erfassen. Das ist unmöglich, der menschliche Blickwinkel ist zu begrenzt, um eine Partie vollständig wahrnehmen zu können. Ein Spieler sollte aber in der Lage sein, alle spielentscheidenden Begegnungen vorherzusehen und zu berechnen, jedenfalls alle, die nach seinem Stoß erfolgen und bevor er wieder mit seinem Queue zum Zuge gelangt.

Ich will nicht abschweifen, sondern zum Schluß kommen und Sie bitten, in meinem nächsten Spiel mein Partner zu sein. Ich berücksichtige Ihre Gefühlslage und biete Ihnen daher an, gegen mich anzutreten. Das Bagnall-Spiel ist zwar noch nicht beendet, aber der

Ball wird in der nächsten Zeit sehr ruhig laufen, und ich werde erst spät wieder eingreifen können, frühestens in ein paar Jahren. Ein schwer erträglicher Gedanke, so lange untätig zu warten.

Ich kam vorige Woche von Sylt zurück, wo ich fünfzehn Tage Urlaub machte, in jenem Zimmer meiner Lüste. Ich hatte Mühe, mich drei Wochen von allen Verpflichtungen frei zu machen, denn seit meinem (respektive Ihrem) glanzvollen Prozeß wird meine Kanzlei geradezu überlaufen. Es ist offensichtlich für viele Zeitgenossen reizvoll, sich von meinem Büro vertreten zu lassen, und mein Partner und ich profitieren von dem vermutlich etwas schauerlichen Reiz meiner Person. Eine Wochenzeitung nannte mich vor einigen Monaten einen Staranwalt, und selbst der Landesherr hat sich zu meiner Überraschung bei mir wieder gemeldet. Man will auf meine geschätzten Dienste nicht verzichten. Und man schätzt sie seit meinem Prozeß noch mehr. (Ach, die Welt ist schlecht.)

Es gibt ein neues Spiel, Herr Fiarthes. Diesmal wird kein Blut fließen, und es wird keinen Toten geben, jedenfalls nicht im Wortsinne. Ich werde einen Menschen ruinieren, das ist alles. Es ist freilich ein bedeutender Mensch, ein allseits geschätzter, ehrenwerter Bürger. Seit Jahrzehnten gilt er als moralisch integer und fachlich versiert, bei Unternehmern und Politikern aller Couleur ist er hoch angesehen, und die Medien behandeln ihn fast mit Respekt. Ich selbst habe ihn bei offiziellen Anlässen zwei- oder dreimal gesehen und gesprochen, ohne daß ich behaupten könnte, ihn zu kennen. Er ist ein gebildeter und aufgeschlossener Mann und mir äußerst sympathisch. Ihn zu vernichten ist eine schier unlösbare Aufgabe, zumal ich nicht einmal eine kleine, winzige Schmuddligkeit gegen ihn in der

Hand habe (was mir bei Ihnen seinerzeit sehr hilfreich war). Er ist scheinbar unantastbar, und eben deswegen habe ich ihn als meinen neuen Spielball gewählt.

Und um diese hoffnungslose Partie für mich noch schwieriger zu machen, bitte ich Sie, meinem Opfer beizustehen. Der Herr, der Ihnen gegenübersitzt und geduldig auf das Ende Ihrer Lektüre wartete, der Bastard, wird, sobald Sie den Brief zu Ende gelesen haben, seiner Tasche einen kleinen Umschlag entnehmen, ihn aufreißen und Ihnen den Namen vorlesen. Ich erwarte keine Antwort auf mein Angebot, aber ich bitte Sie, prüfen Sie wohlwollend meinen Antrag. Falls Sie bei Ihrem impulsiven Nein bleiben, wird diese allgemein geschätzte und durchaus schätzenswerte Person ohne jeden Beistand von mir zugrunde gerichtet. Und falls ich dieses Spiel (vielleicht mit Ihrer Hilfe) verliere – und meine Chancen stehen schlecht –, so hätten Sie sich darum verdient gemacht, das Scheusal (wie Sie sich bedauerlicherweise hinreißen ließen, mich zu apostrophieren) zu erledigen. Denn die Konstruktion dieses Spiels erfordert ein Opfer. Er oder ich. Und auch ich kann keine Notbremse ziehen, wenn mir Spielverlust droht. Eine solche Vorrichtung kennen wahre Spiele nicht. Wenn sie enden, endet auch einer der Spieler.

Sie müssen mir jetzt nicht antworten. Sie müssen mir überhaupt nicht antworten und können mich darüber im unklaren lassen, ob ich nur gegen das ausgewählte Opfer antrete oder ob mein neuer Spielball in Ihnen einen nicht zu unterschätzenden Schutzpatron gefunden hat.

Mein Stiefbruder wird Ihnen heute den Namen nennen, und er wird Sie von Zeit zu Zeit aufsuchen, um Ihnen den nächsten Stoß, sozusagen die nächste Tasche anzusagen. Keine dieser Nachrichten (wie auch dieser

Brief) wird Sie in die Lage versetzen, jene Person direkt zu warnen. Bedenken Sie, Sie haben nichts in der Hand, und Ihr Vorwurf kann nur grotesk wirken und auf eine geistige Verstörung Ihrerseits verweisen. Sie werden also eine so unspielerische Maßnahme überhaupt nicht in Erwägung ziehen.

Überlegen Sie in Ruhe. Lassen Sie sich Zeit mit Ihrer Entscheidung. Aber bedenken Sie auch, wen Sie – wenn Sie jetzt den Namen erfahren – retten können oder zum Untergang verurteilen!

Sie lesen bereits die letzte Seite meines Briefes. Ich vermute, daß der Bastard Sie in den letzten Sekunden etwas in Erstaunen setzte. Ich hatte ihn angewiesen, kurz vor dem Ende Ihrer Lektüre aufzustehen, ein paar Schritte durch das Zimmer zu laufen und dann – ohne Ihnen die Möglichkeit zu lassen, es ihm zu verwehren – jene Seiten meines Schreibens an sich zu nehmen, die Sie bereits gelesen haben. Geben Sie ihm, sobald Sie mit dem Brief fertig sind, auch noch diese letzte Seite, oder, falls er Ihnen den Brief wider mein Erwarten nicht wegnehmen konnte, die vollständigen Blätter. Er wird diesen Brief, die neue Spieleröffnung, in ein mitgebrachtes und vorbereitetes Couvert stecken und vor Ihren Augen verschließen. (Bemühen Sie sich nicht, er wird den Brief nicht lesen. Er hat zu viel zu verlieren.) Geben Sie ihm bitte alle Seiten, da er anderenfalls nicht jenen anderen Brief öffnen wird mit dem großen Namen meines schätzenswerten neuen Spielballs. Ich vermute, Ihr Interesse oder Ihre Neugier wird Sie bewegen, meinem Wunsch zu folgen. Ich bitte Sie herzlich darum, da anderenfalls der Bastard angewiesen ist, Ihnen den Brief mit Gewalt abzunehmen. (Ich erklärte ihm, ein solches Vorgehen sei bei bestimmten Schriftstücken als anwaltliches Inkassoverfahren üblich. Er glaubt mir kein Wort, aber er widersprach mir auch nicht und wird mir in allem folgen. Der gute Junge will schließlich auch einmal auf der Seite der Gewinner stehen.)

Lassen Sie sich nun den Namen vorlesen. Und ich denke, Sie werden zu Recht erstaunen über mein gigantisches Vorhaben.

Lieber Herr Fiarthes, verehrter Herr Kollege, ich hoffe, ich konnte Sie überreden, als mein Gegner mit von der Partie zu sein. Schließlich ist der Mensch, wie schon unsere Vorväter wußten, nur wo er spielt, ganz Mensch. Ohne diese Spiele ist unser kurzes Leben doch entsetzlich langweilig.